Le burnout
Questions et réponses

Choisir sa vie!

Jacques Lafleur,
psychologue

avec la collaboration de
Gérald Lafleur

Le burnout
Questions et réponses

Choisir sa vie !

Les Éditions
LOGIQUES

LOGIQUES est une maison d'édition reconnue par les organismes d'État responsables de la culture et des communications.

Nous remercions le Conseil des Arts du Canada, le ministère du Patrimoine canadien et la Société de développement des entreprises culturelles du Québec pour leur appui à notre programme de publication.

Canadä Nous reconnaissons l'aide financière du gouvernement du Canada par l'entremise du Programme d'Aide au Développement de l'Industrie de l'Édition (PADIÉ) pour nos activités d'édition.

Révision linguistique: Cassandre Fournier, Corinne de Vailly, Chantal Tellier
Conception graphique et mise en pages: Philippe Langlois
Graphisme de la couverture: Christian Campana
Photo de la couverture: Benoît Chalifour
Photo de l'auteur: Alain Comtois

Distribution au Canada:

Québec-Livres, 2185, autoroute des Laurentides, Laval (Québec) H7S 1Z6
Téléphone: (450) 687-1210 • Télécopieur: (450) 687-1331

Distribution en France:

Casteilla/Chiron, 10, rue Léon-Foucault, 78184 Saint-Quentin-en-Yvelynes
Téléphone: (33) 01 30 14 19 30 • Télécopieur: (33) 01 34 60 31 32

Distribution en Belgique:

Diffusion Vander, avenue des Volontaires, 321, B-1150 Bruxelles
Téléphone: (32-2) 762-9804 • Télécopieur: (32-2) 762-0662

Distribution en Suisse:

Diffusion Transat s.a., route des ʻeunes, 4 ter., C.P. 1210, 1211 Genève 26
Téléphone: (022) 342-7740 • Télécopieur: (022) 343-4646

Les Éditions LOGIQUES
7, chemin Bates, Outremont (Québec) H2V 1A6
Téléphone: (514) 270-0208 • Télécopieur: (514) 270-3515

Le burnout, questions et réponses. Choisir sa vie!

© Les Éditions LOGIQUES inc., 1999
Dépôt légal: Troisième trimestre 1999
Bibliothèque nationale du Québec
Bibliothèque nationale du Canada

ISBN 2-89381-639-8
LX-741

À nos parents

Table des
matières

Qu'est-ce qui m'arrive?

Louise m'interpelle au moment où je quitte la clinique, à la fin de la soirée. Il y a une sorte de compassion dans sa voix, mêlée d'un soupçon de découragement: «Il y a encore une autre de mes patientes qui va t'appeler pour prendre rendez-vous avec toi. Elle s'appelle Suzanne L. Je la connais depuis longtemps, c'est une bonne patiente, tu vas voir. Je lui ai donné un congé de maladie pour un mois et on va faire quelques analyses. Je lui ai aussi prescrit quelque chose pour dormir. On verra plus tard pour les antidépresseurs. Le reste du traitement relève plus de ton domaine que du mien. Ça fait huit mois que je lui dis d'aller te voir, mais tu sais comment elles sont...

Comme toujours, tu peux compter sur moi.»

Décodons...

«Cette» autre, qui va m'appeler, ç'aurait pu être «un» autre. C'est une personne qui souffre d'épuisement, c'est-à-dire une personne dont le corps et l'âme crient au secours depuis des mois et des mois, mais qui reste sourde comme un pot quand il s'agit d'écouter les signes pourtant évidents de son mal de vivre. Vient cependant le jour où ça crie tellement fort qu'elle n'entend plus rien d'autre.

«Je la connais depuis longtemps.» Ce n'est pas une «profiteuse» qui vient chercher un congé de maladie. Louise la connaît, et elle connaît aussi son mari et ses enfants. Des gens qui ont du cœur, qu'elle a plaisir non seulement à soigner, mais aussi à rencontrer.

«C'est une bonne patiente.» C'est une personne aimable et responsable. Une personne intelligente et sensible, qui vient fidèlement à ses rendez-vous, qui a un bon sens du savoir-vivre, qui suit son traitement même quand ça n'est pas très drôle, «qui ne dérange pas le docteur pour rien». Par exemple, elle a vu qu'il y avait beaucoup de gens dans la salle d'attente et elle se sent mal d'être restée longtemps dans le bureau de Louise, cette dernière ayant insisté encore une fois pour lui parler de psychothérapie.

«Je lui ai donné un congé de maladie pour un mois.» Comprendre: «Je suis fière de moi, cette fois-ci j'ai réussi à la convaincre d'arrêter. Au moins un mois.»

«On va faire quelques analyses.» Mais comme l'âme de Suzanne a eu la bonté de céder avant que son corps n'éclate, on ne trouvera fort probablement rien. Peut-être un ulcère du tube digestif? Elle a une boule dans la gorge, son estomac brûle, son cœur veut sortir de sa poitrine, elle ne dort plus, ses muscles lui font mal jusque dans les os, elle est constamment épuisée, elle n'est plus capable de retenir ses larmes, elle a des moments de panique, elle lit 12 fois la même ligne sans arriver à rien retenir, tout l'irrite, on ne la reconnaît plus, mais les tests reviendront «négatifs», comme c'est le cas la plupart du temps. Le mal dont elle souffre ne tire pas son origine de son corps même s'il s'y manifeste amplement et, heureusement, rien n'est encore vraiment «brisé», malgré les apparences.

Mais il s'en est fallu de peu. Bravo, Louise!

«Je lui ai prescrit quelque chose pour dormir.» C'est peut-être un des nouveaux médicaments spécifiques aux troubles du sommeil, ou encore un des anxiolytiques que l'on connaît depuis plus longtemps. Ça calme, parfois ça rassure. Le danger, c'est que ça permet aussi d'endurer des situations insupportables plus longtemps. Parce que, bien que Suzanne refuse de voir les choses en face, bien qu'elle préfère croire que sa vie est somme toute presque normale, sa situation est certainement intenable depuis au moins un an. J'aurai à le lui montrer et ça ne sera pas facile, habituée qu'elle est à considérer comme allant de soi une vie où elle retrouve partout et sans relâche de la pression pour «livrer la marchandise». La pression extérieure, bien sûr, mais aussi beaucoup sa propre disposition d'esprit où, trouvant écho, cette pression s'amplifie jusqu'à tout recouvrir, devenant ainsi une obsession: «Il faut, il faut, il faut». Rien n'existe plus que le devoir, sinon la culpabilité qui résulte de ne pas s'en acquitter aussi bien qu'avant et la dévalorisation personnelle qui s'ensuit quand on voit la vie comme Suzanne, c'est-à-dire quand on croit qu'on n'a de valeur que lorsqu'on le «mérite».

«On verra plus tard pour les antidépresseurs.» Parce que, comme beaucoup d'autres, Suzanne n'en veut pas: elle considère presque comme une honte de devoir prendre des médicaments pour le système nerveux et elle garde encore l'espoir (!) qu'on va trouver un mal physique derrière toute cette souffrance. Pour elle, aussi, le mot «dépression» est associé à un échec, à un long congé, à une «tache» insupportable dans son curriculum vitae. (Que de peurs!) De son côté, Louise se permet souvent d'attendre avant de prescrire des antidépresseurs parce que, depuis le temps, elle a vu passer bon nombre de révolutions dans la com-

13

préhension scientifique de la dépression — et exactement le même nombre de pilules miracles... ; elle s'attend à d'autres «révolutions totales» et donc à d'autres panacées éphémères. Et puis, elle connaît bien l'immense contribution de l'effet placebo aux résultats qu'on attribue à ces médicaments. Il sera toujours temps d'aviser plus tard, quand Suzanne aura compris ce qui se passe, qu'elle aura mieux accepté son état, et qu'elle aura pris un peu de distance par rapport à tout ce que, présentement, elle croit devoir se mettre sur le dos.

«Le reste du traitement relève plus de ton domaine que du mien.» Le domaine de Louise, c'est la médecine. Louise a le pouvoir de signer des congés de maladie, elle a la compétence de dépister les problèmes organiques et de leur trouver des remèdes. Elle a aussi l'intelligence et la sensibilité de relier la souffrance du corps à celle de l'âme, ainsi que cette si belle générosité d'écouter les gens et de leur offrir son soutien. Mon domaine à moi, c'est la psychologie: l'univers de la vie intérieure, de la pensée, de l'émotion, de l'estime de soi, des relations aux autres, à la Vie, et aussi celui du changement, celui de l'action. Le domaine de la «vraie» santé et de la joie de vivre, en quelque sorte.

«Ça fait huit mois que je lui dis d'aller te voir, mais tu sais comment elles sont!...» Oui, je le sais. Je sais comment «elles» et «ils» sont, mais je ne sais pas encore précisément où Suzanne en est rendue dans sa descente aux enfers.

«Comme toujours, tu peux compter sur moi» signifie que Louise la verra chaque mois, qu'elle remplira la paperasse pour l'employeur et l'assurance-salaire, et qu'elle prolongera son congé de maladie aussi longtemps que nécessaire, comme elle l'a fait pour tous ces autres à qui elle a proposé d'aller consulter en psychologie. Un congé pour «trouble de l'adaptation avec humeur dépressive», parce qu'on ne trouve pas encore le diagnostic «épuisement professionnel» dans les gros livres de psychiatrie; cette forme de souffrance n'a donc pas encore de numéro de code dans les formulaires des compagnies d'assurances.

Il n'y a cependant pas de mensonge: même s'il peut aussi se manifester par des maladies plus «physiques», un burnout est le plus souvent lié à des difficultés d'adaptation, lesquelles conduisent à des sentiments dépressifs intenses. Pas de mensonge, mais quand même une petite omission: dans le cas du burnout, je préférerais «trouble de l'adaptation *à un monstre*, avec humeur dépressive». Ce serait plus juste, plus honnête envers Suzanne et tous les autres.

Bonjour, Suzanne!

Suzanne arrivera fort probablement à notre première entrevue avec un sentiment d'échec. Elle autrefois si forte, la voilà rendue à consulter en psychologie! En fait, ce n'est pas tant qu'elle ait des préjugés défavorables: elle sait bien que la clientèle des psychologues est constituée de personnes qui souffrent, et non de «fous». Mais voilà, sa souffrance est telle qu'elle a parfois de sérieux doutes sur sa santé mentale. Et elle a peur — une peur parmi tant d'autres — que je ne confirme ses doutes. Et puis, comment croire qu'une telle souffrance est d'origine psychologique? Et surtout, comment accepter qu'il y ait des choses à changer dans sa vie? De toute façon, que peut-elle faire *de plus*? N'a-t-elle pas tout essayé? Évidemment, ce serait plus simple si les autres comprenaient le bon sens et si *eux* changeaient...

Elle sera submergée par la culpabilité, voire la honte de n'avoir pu être à la hauteur. Parce qu'elle croit fermement que c'est elle qui n'a pas su «faire ce qu'elle avait à faire» jusqu'au bout. Elle sait bien qu'elle travaille dans un milieu où l'ultra-performance et la disponibilité sans bornes sont la norme, mais de là à tomber aussi bas, de là à ne pas pouvoir se relever seule comme elle l'a toujours fait, il y a un pas. Elle aura aussi de la rancune, plus ou moins refoulée: elle n'arrive pas à tout faire, soit, mais les autres exagèrent. Et elle leur en veut.

Elle «sait» aussi que sa vie familiale est «normale», c'est-à-dire remplie d'obligations du matin au soir et même jusqu'à la nuit, troublée et raccourcie depuis des mois; elle est tout aussi certaine qu'elle «devrait» avoir le goût de rentrer chez elle après ses heures supplémentaires, afin d'aider les enfants à faire leurs devoirs avant de s'attaquer aux autres tâches qu'elle «doit» aussi accomplir à la maison. Elle «ne devrait pas» avoir le goût de crier quand tout est en désordre: autre source de culpabilité... Son orgueil, qui est immense, est blessé. Les autres fois, elle avait pourtant réussi à s'en sortir.

Parce qu'il y a eu d'autres fois, j'en suis certain. Ça fait au moins un an ou deux qu'il y a «d'autres fois». Mais avec les vitamines, les toniques, un peu de repos, quelques tisanes pour dormir et quelques pauses «respiration», un respect encore plus serré des normes alimentaires, des visites chez le naturiste ou chez le chiropraticien, ç'a fini par passer. Pas totalement, c'est vrai, mais assez pour qu'elle arrive à «remonter» et à se faire croire chaque fois que tout n'allait pas si mal, qu'elle était simplement fatiguée. Mais «cela» n'a pas passé suffisamment pour que, *maintenant*, elle puisse seulement espérer trouver une issue au tunnel dans lequel elle sent qu'elle s'enfonce inexorablement. Ce qui nous mène à l'évidence: ce n'est pas simplement en améliorant son alimentation et en s'abonnant au club sportif qu'on arrive à survivre à une vie de surmenage démesuré, à cette vie physiquement et psychologiquement malsaine qu'on s'impose comme allant de soi ou qu'on finit par considérer comme un mal nécessaire. La santé et la joie de vivre ne reviendront vraiment que si on se retrouve soi-même à un niveau profond et qu'on change. Et ça, c'est une autre paire de manches.

Cette fois-ci est différente des autres fois. Suzanne est tombée un cran plus bas et elle y est restée. Elle a même profondément l'impression qu'elle ne se relèvera jamais. Malgré ce que Louise lui dit, elle n'arrive pas à croire qu'elle n'est probablement pas encore «physiquement» malade, au sens traditionnel du mot. Car il y a une différence de taille avec les autres fois: *elle se sent totalement brisée.*

Où en es-tu, Suzanne?

Lors de cette première entrevue, elle me parlera de ses symptômes: nausées ou migraines, angoisse ou panique, incapacité de se détendre, fatigue, insomnie, boule dans l'estomac. Beaucoup d'irritabilité aussi, elle qui est normalement si douce. Je lui fournirai une liste de symptômes de stress pour l'aider à prendre conscience de son criant besoin de repos et de changement: «Ah! j'avais oublié de parler de mon anxiété, de mes difficultés de concentration. C'est vrai, je vois tout comme une montagne, tout m'apparaît compliqué, je change d'humeur pour des riens, je rêve d'une île déserte, je suis incapable de me détendre, je ne sais plus ce que je veux, je n'arrive pas à prendre de décisions. J'ai perdu confiance en moi, je prends tout mal, j'ai perdu tout enthousiasme, je suis découragée, tout me pèse, je suis constamment pressée par le temps, j'en veux à tellement de gens, je vois ma vie comme un échec, je me déteste, je suis constamment sur la défensive, je n'ai plus de désir sexuel, j'ai parfois peur de devenir folle, je me sens vide, il m'arrive de penser que je serais aussi bien morte.» Et puis les enfants qui disent: «Maman, pourquoi tu souris jamais?» Elle est comme une île après le passage d'un raz de marée: dévastée, sans la force de rebâtir. Il lui arrive de penser: «À quoi bon? Vous voyez bien que je ne vaux rien.»

Mais puisque finalement elle est là, je lui donnerai un coup de main pour reconstruire. Cependant, comme elle ne reconstruira pas sur les mêmes bases, il nous faudra plus d'un mois. Que je consulte mes dossiers... Robert C.: octobre 96 à août 97; Jeannine N.: février 98 à janvier 99; Jean-Guy L.: août 97 à septembre 98. Huit, dix ou douze mois, c'est bien l'ordre de grandeur auquel il faut s'attendre. Huit, dix ou douze mois *au moins*, car il y a aussi René T. que je vois depuis presque un an et demi et qui ne peut toujours pas envisager de retourner au travail. Accepter d'être hors circuit pendant non pas des jours mais des mois, accepter une «convalescence» sera la première «tâche» de Suzanne, si j'ose dire, le premier pas vers sa délivrance. Le premier assaut à sa conception actuelle d'elle-même et de la vie, conception forcément malsaine puisqu'elle l'a mise dans un état de souffrance de plus en plus intolérable. Une «forteresse» qui a bien besoin d'être conquise par la douceur.

Suzanne, écoute un peu

Tu vois, Suzanne, dès qu'on souffre d'un grand nombre de symptômes de stress, on peut conclure sans risque d'erreur qu'ils ont une origine commune: tous et chacun sont la conséquence directe d'une importante tension intérieure. Derrière cette tension, ce «stress», on retrouve le déséquilibre de notre vie, lui-même lié à notre incapacité de résoudre de façon adéquate les problèmes que nos choix de vie et notre façon de penser nous amènent. Pour rétablir notre équilibre, on doit renoncer aux impasses où on a cherché des issues et prendre de nouvelles directions.

Car, malgré qu'on se croie dans un cul-de-sac dont seul un miracle pourrait nous délivrer, il existe bel et bien des issues. *Il faut comprendre que le problème n'étant pas ce qu'on pense, la solution est ailleurs que là où on se tue à la chercher.* Et pour cela, il faut habituellement réviser sa vision de soi-même et de sa place dans le monde, élargir ce qu'on se permet d'être et de faire. On n'y arrive pas en un mois. On n'y arrive pas en un an non plus, mais c'est quand même suffisant pour voir plus clair et refaire certains choix de vie. Il restera à les consolider.

La question *n'est pas* de savoir «ce qu'il faut faire» pour s'en sortir. On n'est pas devant une nouvelle tâche, mais devant un nouveau *choix de vie*. On reprendra plutôt contact avec soi, on s'interrogera longuement sur ce qu'*on veut vraiment*, jusqu'à ce qu'on puisse mettre de nouvelles options de l'avant, presque naturellement. Il s'agit de passer d'une pensée superficielle, qui nous rend esclave d'une liste interminable de tâches, à un ressenti, à une émotion ou encore à une intuition qui nous font comprendre profondément quelle est la vie qu'on souhaite vivre. Il s'agit de remplacer nos «il faut» impersonnels, définis par les autres, par un «je» personnel, défini de l'intérieur. Sans cette transformation, ce nouveau repère, ce changement profond d'attitude, le naturel revient au galop et on se retrouve encore et toujours au même endroit, malgré toutes ces bonnes résolutions qu'on reprend constamment sans être jamais capable de les tenir: dire «non», se reposer davantage, faire une plus grande place à nos proches, etc.

Alors, Suzanne, qui es-*tu*? Que veux-*tu* vraiment, au fond de *toi*? De quoi as-tu à ce point peur que, plutôt que de l'affronter, tu aies préféré laisser ton goût de vivre s'éteindre?

Si on reste obsédé par tout ce qu'on croit devoir faire alors qu'on ressent déjà beaucoup de symptômes de stress intenses depuis longtemps, on finit par faire un burnout. C'est tout à fait «normal». Nos symptômes continuent d'augmenter en nombre et en intensité, on tombe une ou deux fois — ce sont des avertissements — puis bang!: on a le sentiment qu'on ne se relèvera jamais plus.

Tu veux savoir à qui la faute?

Il ne faut pas encore compter sur les entreprises pour enrayer le fléau. Depuis 15 ans, le marché du travail se révèle au contraire un environnement extrêmement propice à propager la contagion. L'idée de base étant de faire plus d'argent avec moins de personnel, il s'ensuit que ceux et celles dont le poste n'a pas encore été coupé se retrouvent avec la charge de travail de leurs ex-collègues au chômage et celle de leurs camarades en congé de maladie. Comme on nous dit que c'est à prendre ou à laisser, on prend: «Je n'ai pas le choix.» Avec les résultats qu'on sait. Et puis la pression fait augmenter les injustices, les conflits, et il devient plus difficile de respecter ses propres valeurs.

Alors survient le pire: notre flamme s'éteint, on perd tout intérêt au travail, jusqu'à ce qu'on se demande jour après jour pourquoi on est là, hébété, accablé par une tâche insurmontable qui ne fait par ailleurs plus rien résonner en nous, souvent perdu dans ce monde naguère familier qui nous paraît de plus en plus étrange, nous sentant de plus en plus coupé de nos collègues qui, eux, semblent continuer d'être bien portants. À un moment donné, *on ne comprend même plus pourquoi on continue ainsi de se détruire jour après jour dans ce monde inhumain.*

Il faudrait donc plutôt compter sur soi. Mais je constate que là aussi le «milieu» se montre très favorable au développement de l'épidémie. Il y a ce sentiment de devoir faire ce qui nous est demandé, celui de se donner moins de valeur comme personne si on ne respecte pas ce devoir, la peur des reproches, le perfectionnisme, la rigidité qui mène à l'obéissance ou à la révolte, la dévalorisation de soi devant tout recul social (démotion ou perte d'emploi), la terrible tendance à faire comme les autres (ou «mieux» que les autres), le manque chronique de temps pour ressentir profondément ce qui est important dans la vie (ou du moins la tendance à remettre à plus tard ce qui est vraiment important parce qu'on a bien autre chose à faire), la peur de décevoir, la dépendance à l'argent, l'orgueil mal placé, parfois aussi l'ambition démesurée, le grand besoin de pouvoir. J'en passe.

Tu veux savoir «à qui la faute?» Cette question te *mène* au burnout. «Qu'est-ce que je peux faire pour me retrouver et garder un équilibre vivifiant et fécond?» Voilà qui est *beaucoup* mieux. Voilà qui va te redonner ce pouvoir de diriger ta vie que tu avais remis entre les mains des autres, ce pivot essentiel que tu avais abandonné à leur jugement sur toi.

Suzanne L., tu as du pain sur la planche! Laisse-moi t'en donner un aperçu avant qu'on se rencontre. Heureusement, tu vas voir, ce n'est pas le pain que tu connais. Celui-là, c'est un pain qui *nourrit*.

1. Accepter

À très court terme, tu devras accepter ce que tu considères maintenant comme une défaite et laisser tomber le travail. Oui, je le sais, «on a besoin de toi». Mais tu verras, la vie continuera. Si tu t'obstines, c'est à l'hôpital que tu passeras ta convalescence. On n'aura pas pour autant moins besoin de toi! Pour l'instant, *tu* as besoin de toi.

Tu auras d'autant plus de mal à accepter ce congé forcé que tu te retrouveras sans énergie, dans le silence. Le fait d'être coupée de la ruche en effervescence où tu perdais ton âme créera un vide et, dans ce vide, tu seras confrontée à toute ta souffrance: tu ne pourras plus la fuir. Tu seras submergée par des émotions douloureuses: tu te sentiras coupable de ne pas être au travail, tu pleureras pour un rien, tu auras honte, tu éprouveras du ressentiment, voire de la haine envers tes bourreaux, tu te sentiras impuissante, inutile, tu ressentiras une fatigue qui t'apparaîtra éternelle jusque dans la moindre de tes cellules, tu seras désespérée, tu auras peur. Je t'en prie, *fais confiance*. Tout cela doit passer: ne t'objecte pas, accueille-toi comme tu sais si bien recevoir tes enfants quand ils ont mal. Tu n'as pas besoin de te «botter le derrière»: tu as plutôt besoin de te prendre par la main pour passer un très dur moment. Si tu veux, je te montrerai à relaxer ou à méditer, c'est-à-dire à accueillir ta vie intérieure sans la juger, telle qu'elle se présente et se déploie dans ton corps et dans ton esprit, instant par instant. C'est d'une aide précieuse. Mais ça n'enlève pas la douleur.

2. Parler

Puis, il te faudra apprendre à parler. Ne reste pas seule avec ta souffrance. C'est à ton tour. Toi qui sais si bien écouter (écouter ton devoir, écouter les autres), il est grand temps que tu apprennes à parler de toi. Cela t'aidera à faire de la place dans ta tête et dans ton cœur, à faire relâcher un peu tous ces nœuds qui se sont resserrés dans les derniers mois, jusqu'à t'étouffer. Parler t'aidera à te rencontrer toi-même, que tu as si peu appris à connaître. Il te faudra aller au moins jusqu'à ces zones sombres que tu combats depuis si longtemps, explorer ce que peuvent bien te révéler ces désirs que tu as appris à bâillonner avec tellement de force pour les empêcher de venir ébranler ton sens beaucoup trop étroit de la responsabilité. Il te faudra explorer des replis à première vue non vertueux, accepter d'écouter ce qui te parle si fort depuis si longtemps, ce qui crie même, depuis un an ou deux. Contre toute attente, tu y découvriras progressivement de la beauté.

Le problème, c'est que tu as tellement dépassé tes limites que tes mécanismes de survie ont dû forcer la note. Alors, ce qui, en toi, te demandait simplement de te reposer a fini par te faire croire que tu étais «paresseuse»; ce qui t'avertissait le plus sainement du monde de ton besoin d'avoir du temps pour toi a fini par te convaincre que tu étais «égoïste»; ce qui témoignait de ce besoin qu'on a tous de délaisser temporairement toutes ces corvées dont on s'accable pour s'ouvrir à notre côté créateur t'a finalement réduite à penser que tu étais «oisive» et «irresponsable». Et ces mots (ou d'autres du même genre), tu les as déjà entendus, quand tu étais enfant: ils te faisaient tellement mal! Tu as tout fait pour que personne n'ait l'occasion de les redire, ni à toi, ni à d'autres. «Surtout ne pas être prise en défaut, jamais!» Voilà où ça t'a menée.

Richard entendait: «Sans cœur!» C'était l'opinion de son père, un homme de devoir, certes, tant qu'il ne sombrait pas dans l'alcool. Si tu savais combien Richard a travaillé pour ne plus entendre ces mots! Pour Céline, ce n'étaient pas tant des mots qu'un sentiment de rejet: «Tu es de trop, nous ne voulions plus d'enfant; au moins, ne dérange pas.» Si tu savais

23

combien elle s'est abaissée pour qu'on veuille enfin d'elle, pour ne pas qu'on l'abandonne, si tu savais combien elle en a bavé pour payer sa supposée dette d'être au monde et par le fait même de déranger! Suzanne, tu verras jusqu'à quel point on peut encore être parfois tout petit et sans défense, malgré nos 30, 40, ou 50 ans...

Comme beaucoup de gens qui ont été soumis à de la violence, à des remarques blessantes ou à des exigences démesurées, tu as intégré les lois de ton oppresseur: tu as accepté son jugement et sa loi, tu les as fait tiens. *Tu* te trouves maintenant paresseuse (pour combattre ta «paresse», tu veux retourner dans l'enfer du boulot au plus vite, et tu as peur qu'on te juge), *tu* te trouves égoïste ou oisive (pour combattre ces «faiblesses», tu veux au moins prendre en charge tout ce qu'il y a à faire à la maison, et tu as encore peur qu'on te juge). Écoute bien: tu ne pourras jamais fuir ces mots tant que tu les porteras en toi. Ils sont ta prison. Fais-en ta délivrance.

3. Reconstruire

Je te disais qu'il fallait reconstruire sur d'autres bases. Nous y voici. N'aie pas peur, tu es belle. Si tu vas assez loin, derrière les mots qui te font peur, tu redécouvriras cette beauté. Parce qu'il n'y a pas que la peur d'être rejetée qui te mène: il y a aussi tout l'amour que tu portes en toi. Je sais: une bonne partie de ta détresse vient de ce que tu ne ressens plus cet amour. Tu te sens souvent toute seule, coupée de tout, vide. Tu te sens aussi inutile, ce que tu considères comme la pire des déchéances. Mais sois patiente, tu verras: c'est ton état de fatigue qui te coupe de toi-même. Tu aimeras de nouveau, mieux qu'avant. Et, c'est promis, on va regarder de près ce que signifie «être utile» quand on cesse de se considérer comme une ressource humaine et qu'on redevient un *être* humain.

Donc, voilà: la base sur laquelle on doit rebâtir après un burnout s'appelle «estime de soi». Pas «égoïsme», pas «égocentrisme»: *estime de soi*. La base qui a fait s'écrouler notre vie avait pour nom: peur. *On passe de la peur à l'amour.* Inutile de dire que c'est plus solide! Suzanne, tu peux te permettre de t'aimer sans craindre de sombrer dans la complaisance, parce que tu es déjà terriblement généreuse et responsable. Pour d'autres, ce serait plus risqué; mais ceux-là ne font pas de burnout. Alors, plutôt que de continuer à te tuer en accomplissant toutes sortes de choses pour arriver à t'aimer, tu vas apprendre à t'aimer de prime abord, gratuitement, et ce, non pas parce que tu es parfaite, mais parce que tu as quelque chose à faire, le plus joyeusement possible, sur cette petite planète. Comme un pommier qui, tout naturellement, prend du soleil et de l'eau pour faire ses pommes et abriter les oiseaux. L'estime de soi est le moteur de la vie, et non son enjeu.

C'est pourtant si simple! Pourquoi est-ce aussi si compliqué?

Première étape donc: accepter la convalescence et les comportements «vertueux» qui lui sont liés, c'est-à-dire se reposer, bien manger, faire de l'exercice très modérément, prendre la médication prescrite, au moins pour dormir, de façon à cesser de s'affaiblir. Méditer ou relaxer. Bref, refaire ses forces. Tu verras, quand tu auras assez d'espace en toi pour accepter que tu as tout à fait le droit de ne pas être au travail, pour comprendre que tu n'es pas paresseuse mais «malade», alors tu commenceras à entrevoir une issue. Je n'aime pas beaucoup le mot «malade», mais il rend quand même compte d'une réalité. Dans ton cerveau, les neurotransmetteurs qui t'ont jadis permis de rire et de profiter de la vie sont en chute libre: presque une espèce en voie de disparition. Ton corps intelligent leur permettra de revenir quand tu seras plus reposée et quand tu auras suffisamment changé pour arriver à te respecter et à te faire respecter. En attendant, ton corps se méfie de toi, et il n'a pas tort: réalises-tu que, dès que tu as un brin d'énergie, tu es encore prête à le trahir? Je ne dis pas que tu le fais exprès ou que c'est ta faute, évidemment: c'est plutôt ta façon de penser, ta façon d'être. Tu vas doucement l'assouplir. Tu n'es pas «incorrecte», mais tu verras à quel point tu te fais du mal pour rien. À court terme, un antidépresseur pourrait t'aider à «remonter», mais on verra. On en parlera ensemble avec Louise.

Deuxième étape: raconter. Tout le mal que tu ressens, toutes les émotions (même les «laides»). Dénoncer tous les «méchants» que tu as rencontrés dans ta vie. Ça fait mal, c'est comme ça. Mais ça fait de l'espace en soi, ça décomprime, ça dénoue, ça allège, ça redonne la vie. Raconter t'aidera à explorer ce que tu fuis. Comment es-tu arrivée à te faire croire que tu étais inadéquate? Comment une personne aussi généreuse et compétente que toi a-t-elle bien pu se mettre dans la tête et le cœur qu'elle aurait dû en faire plus, qu'elle était «incorrecte»? Comment a-t-elle pu accepter de perdre une bonne partie du respect d'elle-même sans lequel toute résistance à la folie qui envahit actuellement le milieu du travail est totalement impossible?

Quand je t'entendrai dire, mais gentiment: «Que j'ai été stupide de vivre comme ça!», je saurai que tu vas mieux. (Tu n'avais pas deux secondes pour vivre! Tu te rends compte? Ce n'est pas ça la vie, hein, on est d'accord?) Tu auras alors déjà accepté qu'on t'aide à la maison — c'est-à-dire que les autres fassent leur part — tu laisseras même parfois traîner

certaines choses (mais pas trop, tout de même...), tu expli-
queras à ta belle-sœur que non, tu ne seras pas là le jour de
son déménagement, parce que tu ne vas pas encore assez
bien, mais que oui, tu pourrais l'aider à faire quelques boîtes,
mardi après-midi, si ça peut lui donner un coup de main. Tu
diras davantage, et spontanément: «Je veux ceci, je ne veux
pas cela», sans l'imposer, mais fermement. Avant, tu disais «Il
faut ceci», et ce, non pas fermement, mais *rigidement*; com-
prends-tu mieux maintenant quelle magnifique différence ça
fait quand on cesse d'être la marionnette de nos peurs et
qu'on redevient une personne, un «je» qui veut vivre, aimer,
apprendre, apporter sa contribution? Alors, il t'arrivera
même de rire. Tu en seras à la dernière étape: agir.

La remontée s'effectuera très lentement au début, puis
plus rapidement. Mais il y aura quelques rechutes dans le
désespoir. Moins profondes, moins longues. Tu seras confrontée à beaucoup de peurs aussi, dont celle de te donner le
droit de vivre; cette crainte absurde qui nous paralyse
d'ailleurs tous plus ou moins. Ne mets pas d'échéance à ton
retour à la santé: laisse-toi plutôt guérir. Ça prendra le temps
qu'il faut, sans doute davantage que tu ne le crois maintenant.

4. Repartir

L'heure des choix de travail ne viendra véritablement
que plusieurs mois après le début de ta convalescence: tu
seras un peu moins fatiguée, tu auras changé d'attitude et tu
auras développé une plus grande marge de manœuvre; tu
auras aussi appris à mieux te respecter. Parfois, avec le recul,
on se rend compte qu'il est impossible de retourner à notre
poste, parce que les exigences qui lui sont liées sont incon-
ciliables avec le maintien de la santé mentale. Parfois, il s'agit

plutôt de renégocier notre tâche avec l'entreprise, après l'avoir renégociée avec nous-même, avec un «nous-même» plus souple, plus vivant. Tout aussi responsable, mais *autrement*. Responsable de sa vie intérieure et de ses choix de vie plutôt qu'esclave d'un devoir superficiel, d'un devoir mort, esclavage qui nous sert davantage à quêter l'approbation des autres et à ne pas subir de reproches qu'à apporter une véritable contribution au monde, à apporter *la nôtre*...

Et puis, il y a la famille. Par exemple, peut-on se permettre de gagner moins d'argent quand notre santé, notre joie de vivre et le sens de notre vie sont en jeu? Si des gens qui gagnaient 30 000 $ par année m'ont déjà dit que oui, d'autres dont le revenu dépassait les 80 000 $ m'ont au contraire affirmé que non. Comme tu vois, le bonheur n'est pas toujours la priorité... Enfin, tu verras ce qui est possible. Tant de gens croient «qu'il faudrait que ça change» sans avoir eux-mêmes à laisser aller les choses ou les idées qui les rendent malheureux...

Tout est à réexaminer: les relations à soi, les relations aux autres; les relations à l'argent, au temps, au travail, au repos; les pertes possibles, les peurs. Aussi le sens du devoir, le terrible sens du devoir! Et puis, les relations à Dieu, ou à la Vie, pour ceux qui sont ouverts à la dimension spirituelle de l'existence. Le burnout est vraiment une belle occasion de développement.

Pourquoi attendre que ça fasse si mal?

La vie continue

Et puis, un jour, quelques semaines ou quelques mois après ton retour au travail, tu me diras un dernier merci: «Si j'ai encore besoin de toi, je te rappellerai.» Ce sera une belle émotion, celle qui accompagne les départs: que veux-tu, la vie continue. Ta santé sera revenue, ta vie aura un peu (beaucoup?) changé. Tu te montreras plus souple dans tes idées, plus attentive à ta vie intérieure, plus confiante dans tes émotions, plus calme dans ton âme: tu seras plus toi-même. Comme avant, tu seras «capable toute seule». Pas parfaite: humaine. Capable d'assumer presque sans culpabilité d'être faillible, capable de rester sereine après avoir commis une erreur, sans perte d'estime de soi. Tout devient alors possible, être heureuse comme souffrir... Tu te souviens? Tu n'avais même pas le droit de souffrir! Mais on est loin de là, maintenant.

Ce soir-là, quand je quitterai la clinique, Louise me dira: «Comment va Suzanne? Je ne l'ai pas vue depuis que j'ai signé son papier de retour au travail à temps complet. Tu ne sais pas quoi? C'est Normand qui est venu me voir avec Sandra, pour son vaccin. Il m'a dit que Suzanne allait à son cours de dessin après son entrevue avec toi. Et la petite était heureuse comme tout d'être avec son père.

À propos, as-tu de la place? Il y en a un autre qui irait te voir. Ça fait six mois que je lui en parle, mais tu sais comment ils sont...»

Un autre...

Oui, Louise, je sais comment ils sont. Ils sont beaux et ils veulent vivre.

***

Au cours des dernières années, j'ai rencontré un nombre impressionnant de «Suzanne» à mon bureau et dans nos ateliers de réduction du stress. J'ai aussi vu beaucoup de «Pierre» et de «Michel», évidemment, et je crois que je n'ai pas fini d'en rencontrer. Mes collègues non plus d'ailleurs, pas plus que les omnipraticiens, les psychiatres, les autres médecins spécialistes et tous les thérapeutes du corps ou de l'âme. Le monde du travail est en effet profondément infesté du virus de la démesure, et il n'existe toujours pas de vaccin.

Notre monde intérieur, lui, se révèle d'une terrible fragilité à l'infection: nous ne savons pas nous respecter, nous n'arrivons à nous aimer que lorsque nous sommes à la hauteur de toutes nos exigences et de celles des autres, nous avons une peur bleue du rejet, nous avons davantage appris à blâmer ceux qui nous font du mal qu'à chercher des solutions vivifiantes à nos difficultés, et nous sommes devenus dépendants d'un haut niveau de vie. Résultat: le virus nous met hors de combat en un an ou deux, parfois plus rapidement.

D'où l'idée de ce livre: vous aider à voir où vous en êtes, à déterminer si la souffrance qui vous amène chez le médecin, le pharmacien ou l'acupuncteur est directement liée au virus de la démesure et, dans l'affirmative, vous aider à reprendre votre santé en main en «soignant votre vie». Nous voyagerons avec l'inséparable trio qui forme nos attitudes: comprendre-ressentir-agir. Non seulement, en effet, est-il utile de comprendre ce qui ne va pas, mais il est aussi précieux de le comprendre à partir de soi et de traduire ce nouveau savoir en actions concrètes dans le quotidien.

Si vous êtes au bord de l'épuisement, vous avez sans doute perdu une bonne partie de votre capacité de concentration. C'est pourquoi j'ai opté pour un format «Question/Réponse», qui vous aidera à vous repérer facilement (voir Annexe 3) et vous permettra de lire à votre rythme. J'ai aussi regroupé clairement les indications de changement les plus urgentes dans la marge, sous la rubrique «Indications de survie».

Voici le message essentiel de la première partie de ce livre: si vous êtes sur la voie de l'épuisement, *vous pouvez encore choisir de prendre mieux soin de vous et de vivre autrement qu'en vous détruisant jour après jour*, même s'il vous sera très probablement difficile de renoncer aux idées et aux illusions que vous entretenez sur la nécessité de poursuivre sur la mauvaise voie. Le défi qui vous attend, c'est de revenir à l'essentiel, de comprendre que ce à quoi vous vous obligez, ce dans quoi vous vous épuisez, est *beaucoup moins important* que ce que vous devez mettre de côté pour arriver à remplir vos «obligations»: vous laissez dépérir votre santé, vous négligez vos proches et vous sabotez votre vie quotidienne pour vous consacrer entièrement à des tâches — au travail, aux études ou à la maison. Et, une fois que vous l'aurez compris, le défi consistera à *agir*, de façon à vous redonner une vie plus saine, une vie qui a du sens.

Prévenir: une utopie?

Il est très difficile de sauver de la noyade des gens qui croient fermement devoir continuer de nager dans le tourbillon qui les emporte. Mais j'ose espérer qu'en les touchant et en faisant appel à leur reste de raison, cet ouvrage pourra aider certaines personnes, qui sont en train de se tuer au travail, à accepter de voir leur réalité en face et à changer des choses *avant* qu'un burnout ne les force à le faire. Si vous êtes dans l'effervescence du torrent et que vous voulez bien attraper la bouée que je vous lance et cesser d'utiliser vos belles qualités pour vous faire du mal et en faire à vos proches, je serai *très* heureux d'avoir contribué par cet ouvrage à vous aider à revenir au port à temps.

1. Une bouée, si vous êtes en train de vous épuiser

Cette bouée, ce sont les «Indications de survie», que vous trouverez dans la première partie: ce sont des recommandations à mettre immédiatement en pratique si vous êtes près de l'épuisement (le questionnaire de la page 37 vous aidera à déterminer où vous en êtes). Je concède dès le départ que certaines de ces indications ne figurent pas dans la liste des règles de vie les plus «nobles» qu'on puisse trouver, et qu'elles sont encore moins les jalons d'un mode de vie qui rend vraiment heureux; mais une trousse de survie est une trousse de survie, et on ne peut pas s'attendre à n'y trouver que des lotions délicates. *Sortons d'abord de l'eau*; on verra plus tard pour l'élégance. Je ne veux cependant pas être alarmiste, et mon objectif n'est certes pas d'offenser ou de culpabiliser les gens qui vivent leur travail comme un supplice. Il est plutôt de prévenir la souffrance inutile et de favoriser le maintien de la joie de vivre.

Car il n'y a pas que la survie: il y a également la joie de vivre. J'aimerais donc aussi et surtout vous aider à retrouver et à garder cet équilibre personnel qui est fait de projets stimulants et de la belle énergie qui permet de les réaliser. *La joie existe encore*: c'est souvent nous qui nous en privons à la chercher là où elle n'est pas, ou à remettre continuellement notre bonheur à plus tard sous prétexte qu'on n'a pas le temps de profiter de la vie.

2. Un aperçu du traitement, si vous êtes en burnout

S'il est trop tard pour la bouée, si vous êtes présentement en burnout, sachez cependant que rien n'est encore perdu. Quoique votre désespoir puisse être grand, *vous retrouverez votre santé et votre joie de vivre.* Ce sera cependant douloureux (vous en savez sans doute quelque chose) et beaucoup plus long que si vous vous étiez arrêté avant que vos forces ne vous abandonnent. Mais vous en guérirez. Vous en guérirez même un peu plus rapidement si vous acceptez de suivre les étapes du traitement que je vous présente dans la seconde partie de cet ouvrage.

N'hésitez surtout pas à demander de l'aide professionnelle si votre détresse est grande. Un livre peut dire des choses, vous pouvez vous y reconnaître et sentir qu'il y a des gens qui comprennent ce que vous vivez; mais un livre ne peut ni *vous* comprendre, ni *vous* écouter...

Il ne peut pas non plus vous offrir un accompagnement, ce soutien dont vous avez sans doute grandement besoin si vous êtes en détresse.

3. Un éclairage, si vous vivez avec une personne dont l'état d'épuisement est avancé

Si votre conjoint est bien ancré dans le processus qui mène au burnout ou s'il est déjà en congé de maladie, vous trouverez, particulièrement dans la troisième partie, des éléments qui vous permettront de mieux le comprendre et de l'aider. Souvent, en effet, la bonne volonté qu'on montre pour venir en aide à nos proches finit malheureusement par leur nuire, et j'aimerais que la vôtre soit au contraire utile, fructueuse. Je souhaiterais aussi *vous* aider à mieux traverser cette période sans doute difficile pour vous.

4. L'équilibre personnel, pour tous

Qu'on soit épuisé, en voie d'épuisement, compagnon d'épuisé, ou encore qu'on se sente bien dans sa peau, l'équilibre personnel reste la voie privilégiée pour vivre sa vie. On maintient cet équilibre en se donnant l'énergie nécessaire pour réaliser des projets de vie vivifiants. L'option de base présentée ici est celle du développement, celle par laquelle on choisit de transformer tout déséquilibre en source de créativité et de changement.

Nous verrons donc d'où vient l'épuisement, comment nous nous laissons «manger la laine sur le dos» sans vraiment réagir, comment nous pourrions faire mieux — beaucoup mieux — et ce, idéalement, *avant* d'en arriver au burnout, c'est-à-dire avant que le poids du stress ne nous ait finalement brisé les reins.

Autre temps, autres mœurs

Après les trois semaines de «vacances» que je m'étais accordées à la fin de mes études, j'ai effectué ma première journée de travail dans mon domaine. C'était le 8 décembre 1975, dans un poste de «psychologue en prévention» au sein d'une équipe multidisciplinaire de CLSC. Durant la soirée, je reçus un appel à la maison: la directrice d'un CSS (les défunts Centres de services sociaux) voulait savoir pourquoi je ne m'étais pas présenté au travail. Elle m'apprit qu'à la suite d'une entrevue de sélection que j'avais passée quelques semaines auparavant, on avait retenu ma candidature, et qu'on m'attendait ce même lundi. Un seul petit problème: personne ne m'en avait avisé!

Mille neuf cent soixante-quinze, ce n'est quand même pas si loin! Un jeune diplômé pouvait alors trouver deux postes le même jour, et les CLSC consacraient une partie de leur budget à la prévention et à la promotion de la santé. Aujourd'hui, devant un tel cadeau du sort et un tel «luxe», on crierait sans doute au miracle. Ou au scandale...

Le monde du travail s'est en effet profondément transformé en très peu de temps et il serait malhonnête de faire porter l'entière responsabilité de l'épuisement sur tous ceux qui tombent les uns après les autres sous le poids du stress qu'ils vivent. Il est cependant tout à fait possible de mieux composer avec cette nouvelle réalité du travail et d'éviter toute cette souffrance.

Non pas la souffrance et l'épuisement du sportif qui va récupérer ses forces dans les heures qui suivent sa performance, mais bien cette «brisure» du corps et de l'âme qui va nous laisser sans énergie pendant des mois et des mois. Et puis, si on cesse d'avoir peur, on peut non seulement éviter l'épuisement, mais aussi trouver dans l'univers fou furieux du travail un bel espace de créativité et de développement.

Alors, si on faisait un petit effort dans la bonne direction?

Quand le travail perd son sens et devient essentiellement source de souffrance

NOTE

Je vous invite très fortement à lire cet ouvrage avec un crayon à la main et à souligner *tous* les passages qui vous concernent, *toutes* les solutions et *toutes* les directions de changement qu'il vous serait utile de mettre de l'avant.

Voyez moins dans cet ouvrage un «livre du professeur» qu'un cahier d'exercices. Je souhaite davantage vous aider à vivre heureux qu'à faire de vous un expert sur la question du burnout. Il ne sert à rien de «comprendre» si on n'agit pas. En fait, si on n'agit pas, *c'est qu'on n'a pas compris.*

Où en êtes-vous?

Je vous invite à vous situer dès maintenant par rapport à la démarche proposée dans cet ouvrage. Il suffit, pour ce faire, de répondre aux quatre questions qui suivent.

1. Comment vous sentez-vous par rapport à votre travail[1] depuis cinq ou six mois?

- ○ Tout à fait heureux.
- ○ Un peu préoccupé.
- ○ Troublé (j'y pense vraiment beaucoup, je cherche des solutions, j'ai peur de certaines choses).
- ○ Obsédé (je pense presque toujours à ça, je suis presque incapable de décrocher).

2. Veuillez cocher, dans la liste suivante, les symptômes dont vous souffrez depuis quelques mois:

- ○ Je suis presque toujours fatigué.
- ○ J'ai du mal à me concentrer.
- ○ J'ai beaucoup perdu confiance en moi.
- ○ Je donne un rendement moindre malgré beaucoup d'efforts.
- ○ Je suis irritable.

[1] Cet ouvrage est surtout consacré à l'épuisement au travail, mais si vous êtes troublé ou obsédé par d'autres difficultés (par vos études, votre vie amoureuse, familiale, etc.) et que vous y investissez de plus en plus d'énergie sans vraiment arriver à vos fins, vous risquez tout autant de vous épuiser. Dans cette première question, vous pouvez donc remplacer le mot «travail» par un autre qui désigne ce à quoi vous consacrez démesurément de l'énergie sans jamais vraiment reprendre le dessus.

○ Je ne ris presque jamais.

○ J'ai perdu de l'intérêt pour beaucoup de choses.

○ Je souffre de plusieurs problèmes physiques (insomnie, perte ou gain d'appétit ou de poids, problèmes digestifs, problèmes cardiovasculaires, allergies, grippes à répétition, fréquentes migraines, etc.).

3. Avez-vous eu un «sérieux avertissement»?

○ Oui, il m'est arrivé de «craquer» (de faire des gestes destructeurs bien malgré moi, de subir une grave attaque de panique, d'avoir de très sérieux doutes sur ma santé mentale, de m'effondrer en larmes alors que cela ne me ressemble pas, d'avoir le sentiment d'être vraiment rendu au bout du rouleau, etc.), même si ça n'a pas duré, que ce n'est pas revenu depuis, ou que j'ai le sentiment «d'avoir remonté la côte».

○ Non.

4. Êtes-vous présentement en congé de maladie, après avoir été obsédé par votre travail et y avoir démesurément investi votre énergie?

○ Oui.

○ Non.

INTERPRÉTATION

1. Si vous avez répondu «Obsédé» à la première question, si vous souffrez d'au moins quatre des symptômes mentionnés dans la liste et s'il vous est arrivé de craquer, sans que vous ne soyez encore en congé de maladie:

Vous êtes sans doute *très* près de l'épuisement. Je vous conseille fortement de prendre le temps de lire ce livre. Sachez aussi que les «Indications de survie» s'adressent à *vous*, et que votre lecture ne vous aidera en rien si vous ne changez pas au plus tôt ce qui vous entraîne toujours plus profondément dans la fatigue et la souffrance.

J'aimerais que vous arrêtiez de vous faire croire que tout ne va pas si mal. Si vous voulez éviter une très grande souffrance, il vous faut commencer *immédiatement* à changer des choses. Comprenez que le mot «immédiatement» ne signifie pas «bientôt, quand j'aurai repris la situation en main»: il signifie vraiment «immédiatement», c'est-à-dire «avant toute chose», «malgré mes peurs d'être mal jugé ou de perdre mon emploi». «Bientôt», ce n'est pas la situation qui sera enfin sous contrôle: c'est vous qui serez hors contrôle et absolument incapable de continuer, si vous ne vous occupez pas de votre vie et de votre santé dès maintenant.

Je ne m'amuse pas à être alarmiste: je vous dis que, comme tous mes collègues médecins et psychologues, je rencontre jour après jour dans mon bureau des gens qui ont vécu ce que vous vivez maintenant et qui éprouvent d'immenses regrets de ne pas s'être arrêtés à temps. Parmi eux, on retrouve des gens qui étaient *très* forts.

Commencez immédiatement à ralentir. Si vous n'y êtes pas parvenu par vous-même d'ici deux semaines, *demandez de l'aide professionnelle.*

2. Si vous avez répondu «Troublé» ou «Obsédé» à la première question, que vous n'éprouvez encore que deux ou trois des symptômes mentionnés dans la liste et que vous n'avez pas eu d'avertissement sérieux:

Je vous invite vivement à prendre de la distance par rapport à vos «tâches» et à réduire votre «trouble» ou votre «obsession» en ce qui a trait à toutes vos prétendues obligations. Sinon, ces sentiments vont continuer d'augmenter et vous mener tôt ou tard à une fatigue encore plus intense, puis au burnout. Ce livre est aussi pour vous, mais vous disposez encore d'un sursis avant de devoir mettre les «Indications de survie» en pratique. Profitez de ce répit pour... commencer tout de suite!

Toutes les suggestions concernant l'équilibre personnel (quatrième partie) pourraient vous être utiles et toutes les pistes de réflexion (voir les rubriques «Réaliser», «Explorer» ou «Se questionner») pourraient vous aider à diminuer de beaucoup votre trouble ou votre obsession et à trouver une plus grande joie de vivre.

3. Vous n'avez que rarement le travail ou vos autres tâches en tête et vous ne ressentez qu'un ou deux des symptômes de la liste:

Vous verrez que vous mettez sans doute déjà de l'avant bon nombre des conseils pratiques proposés dans cet ouvrage. Vous y trouverez des pistes pour consolider vos bonnes habitudes, ainsi que de nouvelles façons de poursuivre dans la bonne voie. Peut-être aussi travaillez-vous dans un de ces rares milieux où on préfère encore l'intelligence et le bonheur à l'argent.

4. Vous êtes déjà en arrêt de travail pour cause d'épuisement:

La deuxième partie de cet ouvrage porte sur le traitement du burnout et elle s'adresse directement à vous; mais la première partie contient des informations qui vous permettront de mieux comprendre ce qui vous est arrivé. Ce livre vous aidera également à éviter la récidive, laquelle est fréquente chez les gens qui «guérissent» uniquement en prenant du repos et des médicaments, sans vraiment changer des choses en eux-mêmes.

Chapitre 1

Le travail
n'est plus ce qu'il était...

> ➤ *Qu'est-ce que le* **burnout** *ou l'***épuisement** *professionnel?*

Le burnout, c'est ce qui arrive à tous ces gens de plus en plus nombreux qui se vident un peu plus chaque jour de leurs forces, sans pourtant parvenir à surmonter les difficultés qu'ils vivent au travail (aux études ou à la maison). Quand on dépense notre énergie sans jamais récupérer vraiment, on finit par ressentir une immense fatigue ainsi qu'un nombre de plus en plus grand d'autres malaises physiques et psychologiques. À un certain point, cet état qui a de moins en moins de «hauts» et de plus en plus de «bas» devient difficilement tolérable, jusqu'à ce qu'il se transforme sans grande transition en épuisement: une fois là, malgré toute notre bonne volonté, *on n'est absolument plus capable de continuer de vaquer à nos occupations.* C'est là la différence entre la fatigue et l'épuisement.

> ➤ **Indications de survie** [2]

Je dois ra-len-tir et prendre soin de moi. Autrement, bientôt, probablement *très* bientôt, c'est mon corps qui m'arrêtera complètement. Je serai à la maison, encore beaucoup plus souffrant que je ne le suis maintenant. Le burnout, c'est beaucoup plus grave que la fatigue, beaucoup plus douloureux que ce que je ressens maintenant (ce qui n'est pas peu dire) et c'est beaucoup plus long à guérir. J'ai encore le choix et j'en profite, car bientôt, je ne l'aurai plus.

2 Les «Indications de survie» s'adressent en premier lieu aux personnes qui sont très près de l'épuisement (voir questionnaire, page 39, pour déterminer si vous êtes du nombre).

> *Comment savoir si on est près de ce moment de naufrage qui nous amène en congé de maladie pour de longs mois, vidé de toute énergie?*

En s'examinant soi-même, plutôt qu'en s'oubliant et en ne regardant encore et toujours que tout ce qui nous reste à faire. J'invite donc fortement le lecteur à répondre au bref questionnaire qui se trouve à la page 39, si ce n'est déjà fait, et à interpréter ses réponses à partir de la grille proposée.

> **Indications de survie**
>
> **J'apprends dès maintenant à écouter et à respecter les signaux d'alarme que m'envoient mon corps et ma vie intérieure; non par complaisance, mais parce que je dois réapprendre à vivre. Je ne veux plus me détruire, je ne mérite pas de me détruire, je n'ai pas le droit de me détruire: j'accepte qu'il me faut non seulement stopper ma descente aux enfers, mais aussi commencer à me reconstruire, et ce, dès maintenant.**

En matière de stress, on reconnaît l'ampleur de notre tension non par la quantité de choses *extérieures* auxquelles on est confronté, mais par les *symptômes* qu'on ressent. On fait fausse route quand on cherche à savoir si «on a raison» ou non d'être au bout du rouleau: il faut plutôt *ressentir* si, *en fait*, on l'est.

L'arrivée d'un burnout ne dépend aucunement du fait qu'on ait ou non de bonnes raisons pour continuer de se détruire: il dépend des choix qu'on fait quand on réalise qu'on n'en peut plus. Ce point est *très* important.

> *Quelle différence existe-t-il entre le burnout et le stress, plus particulièrement le stress au travail?*

On peut être stressé au travail sans faire de burnout, mais on ne peut pas faire de burnout sans avoir été très stressé, notamment au travail. Le burnout est l'aboutissement «normal» d'un très haut niveau de stress (au travail et à la maison) maintenu très longtemps. Imaginons une marmite [3] sur le feu: le stress au travail, c'est le niveau de chaleur qui fait monter la pression, dont on reconnaît l'ampleur par nos symptômes; le burnout survient quand la pression devient plus forte que la résistance de notre corps: c'est *l'explosion* de la marmite.

Notre niveau de stress augmente spontanément lorsqu'on voit certaines situations comme stimulantes et qu'on veut réussir, de même que lorsqu'on juge que certaines choses sont insatisfaisantes ou inquiétantes et qu'on essaie, en conséquence, d'y remédier. Quand on réussit à faire avancer nos projets de façon satisfaisante et à résoudre nos problèmes, notre niveau de stress diminue tout naturellement. Quand on ne réussit pas et qu'on ne laisse pas tomber, le stress continue d'augmenter.

Si on veut éviter le burnout, on verra à diminuer notre niveau de stress *dès qu'on ressentira les symptômes précurseurs de l'épuisement* (voir questionnaire, page 39), signes que «la mar-

> ## ⟩ Explorer

Cherchons de *nouveaux* moyens d'arriver à de meilleurs résultats, à la fois pour accomplir nos tâches et pour conserver notre santé.

> ## ⟩ Indications de survie

Plutôt que de penser uniquement à reprendre le contrôle de la situation extérieure, je fais des efforts pour reprendre le contrôle de ma pression intérieure, le contrôle de *moi-même*. Ces «efforts» de repos et de ressourcement me mèneront à un résultat tangible en ce qui concerne mon énergie vitale, et il ne fait aucun doute qu'ils m'aideront par le fait même à mieux agir sur mes difficultés extérieures; ce recul et ce repos me permettront en effet de redevenir moi-même, de disposer à nouveau de mes ressources personnelles et de développer de nouvelles stratégies pour composer plus adéquatement avec ma réalité au travail et à la maison.

---

3 Une marmite autoclave, un autocuiseur, un «Presto».

Indications de survie

**J'apprends à voir ma
fatigue non plus comme
une entrave qui m'em-
pêche de faire tout ce que
je voudrais faire, mais
comme une indication on
ne peut plus claire qu'il est
grand temps que je change
de solution pour résoudre
mes problèmes: plutôt que
de continuer à me vider
jusqu'au burnout, je me
repose, je me ressource, je
me remets en forme.
La fin de semaine
prochaine, je ne travaille
pas et je fais le minimum
du minimum à la maison.
Je me couche très tôt, je ne
fais presque rien d'autre
que me reposer. Si je
préfère croire que je ne
peux pas m'accorder un
week-end de repos, alors
je réalise ce que signifie
«avoir de très bonnes
raisons pour continuer de
se détruire». L'ayant réalisé,
je comprends que je suis
devant un choix.
Et je choisis de me reposer
maintenant, plutôt que
d'attendre de ne pas avoir
le choix, comme ce sera le
cas bientôt.**

mite» va bientôt exploser; et si on veut être bien dans notre peau, on verra à ne jamais laisser monter notre tension jusqu'au point où on ne récupère pas durant la nuit de la fatigue qu'on a accumulée durant la journée, sinon exceptionnellement et pour de très courtes périodes. Il est tout à fait sain de ressentir une certaine fatigue en fin de journée; mais il est par contre très malsain d'être fatigué quand on se lève le matin, si cela dure des semaines.

> *Pourtant, n'y a-t-il pas beaucoup de gens qui sont fatigués le matin?*

Oui, et ils sont tous mal dans leur peau! Nombre d'entre eux finissent par s'épuiser. Dans une culture comme la nôtre, il est devenu normal de consacrer toute notre vie à des tâches sans jamais en venir à bout et sans être heureux; il est aussi «normal» d'avoir peur, d'être sans cesse préoccupé par un tas de choses, de se sentir incompétent, de n'avoir le temps ni de s'occuper de soi, ni de vivre simplement les petites et grandes joies du quotidien.

Ce qui est devenu «normal» se révèle *malsain*, à la fois pour le corps, pour la «tête» et pour la vie intérieure.

Nous vivons mal, *très* mal, et nous cherchons souvent des solutions qui nous permettraient de continuer dans ces mauvaises directions, plutôt que d'en changer. Un peu comme si nous voulions continuer à vivre mal, mais sans être mal. Non seulement ce n'est pas sain, mais c'est impossible.

> ## Y a-t-il beaucoup de gens qui risquent de souffrir d'épuisement?

Une majorité de gens pensent encore qu'en se tuant à la tâche, ils vont parvenir à faire tout ce qui leur est demandé, en être félicités et conserver leur emploi. C'est pourquoi... il y a de plus en plus de congés de maladie de longue durée pour des problèmes de santé qui sont la conséquence directe d'un épuisement!

En fait, presque tout le monde est à risque car, à la suite des grands changements qui se sont produits dans le monde du travail, et donc aussi dans notre organisation sociale et dans notre culture, les problèmes qu'on vit se sont multipliés à outrance. L'univers du tra-

> ## Indications de survie

Je réalise que ma vie quotidienne souffre beaucoup de mon investissement au travail. Curieusement, c'est, entre autres choses, pour m'assurer un beau quotidien et en procurer un aux miens que j'investis autant d'énergie au travail et dans mes tâches à la maison. Alors, plutôt que de poursuivre davantage dans cette voie sans issue, je m'engage dans les changements qui me seront bénéfiques et qui s'avéreront profitables aux miens. Je renoue avec mon désir d'être heureux, je m'en donne le droit et je m'organise en conséquence.

> À quel prix arriverai-je à tout faire? Ce prix, est-ce que je ne le paie pas presque totalement déjà? Et ce, *sans* parvenir à tout faire? Et suis-je vraiment apprécié? Je réalise que «je suis au bout du rouleau»: *je n'ai plus les moyens* de continuer à payer. Je *renonce* à tout contrôler; je *choisis* ce sur quoi je vais concentrer mon activité de travail et je me donne *beaucoup* de temps hors travail. Je *peux* diminuer grandement la souffrance que je ressens maintenant, je *peux* éviter de dégringoler beaucoup plus bas et je *choisis* de le faire.

> Réaliser

Ce n'est pas que nos idées, nos valeurs ou nos aspirations sont «incorrectes»: c'est que le nouveau contexte social les transforme en sources de souffrance. Nous devons donc réviser quelques-unes de nos idées sur le bonheur et revoir certaines de nos aspirations, puisque celles que nous avons présentement nous mènent au malheur. Il serait bon, aussi, de trouver de nouvelles façons de mettre nos valeurs de l'avant si nous ne voulons pas être constamment stressés.

> Indications de survie

Même si ça me donne une illusion de contrôle, je réalise qu'il est totalement *utopique* de continuer de croire que je vais conserver mon emploi si «je le mérite» en me tuant à l'ouvrage. Cela dit, il reste important pour ma satisfaction personnelle que je m'applique et que je réussisse le plus souvent à bien faire les choses. *J'apprends comment m'appliquer sans me détruire.*

vail est en effet devenu beaucoup plus exigeant et beaucoup moins gratifiant et sécurisant qu'il ne l'était il y a encore 15 ans. Les conditions stimulantes dans lesquelles on pouvait alors travailler les uns avec les autres se sont maintenant transformées un peu partout en un contexte de contrainte et de peur: contraintes dues à l'augmentation et à la complexification de la tâche, et peur liée à la disparition de nombre d'emplois — et donc au danger toujours présent de perdre le nôtre.

Notre grand désir de bien faire, notre besoin d'être apprécié et celui de conserver notre «niveau de vie» sont cependant restés les mêmes. Compte tenu du nouveau contexte dans lequel le monde du travail est en train de nous emprisonner, ces aspirations, bien légitimes par ailleurs, *nous mènent à notre perte.*

Et, peu importe qu'on se tue ou non au travail, on risque tout autant d'être remercié de nos services dès qu'on coûte plus cher qu'on ne rapporte, dès qu'il y a fusion ou restructuration d'entreprises, ou dès que les nouvelles politiques d'austérité qui envahissent les services publics amènent l'un ou l'autre des paliers de gouvernement à couper notre poste.

De plus, même si on est de plus en plus obsédé par le travail, on n'arrivera probablement pas à faire tout ce qui nous est demandé, et on se le fera reprocher par des gens qui, eux non plus, n'arrivent pas à tout faire et se le font reprocher. Il vaut mieux s'organiser pour bien faire le travail qu'on peut accomplir, et pour prendre bien soin de soi.

> ### D'où viennent les changements qui expliquent l'augmentation du stress au travail?

Ces changements viennent «d'en haut», «d'à côté», et «d'en bas», bref, de partout.

«En haut», les institutions publiques et les entreprises privées continuent de grossir, de fusionner, de se restructurer, de se dépersonnaliser. Les «nouveaux» patrons, malgré tous ces cours de gestion qu'ils ont suivis à l'université, ignorent presque tout du travail concret de leurs subalternes. Ils prennent des décisions sans consulter ceux qui vont les exécuter ou les faire exécuter. La plupart connaissent peu — sinon pas du tout — les mécanismes concrets de la production des

> ### Indications de survie

Si mes supérieurs ne m'apprécient pas, je n'attends plus leur «tape dans le dos» ni d'autres marques d'estime ou de reconnaissance. Et qu'ils m'estiment ou non, je donne beaucoup moins, quitte à ce que ce retrait de temps et d'énergie soit temporaire; je me repose et je me ressource beaucoup plus. Quand je serai de nouveau en forme, j'aviserai.

> ### Explorer

Écoutons davantage quand nos subalternes nous disent que nos décisions sont inapplicables;
travaillons à trouver des solutions *avec* eux.
Insistons davantage pour montrer à notre supérieur que ses décisions créent problème;
travaillons à trouver des solutions *avec* lui.
Acceptons aussi le fait que beaucoup de problèmes sont trop complexes pour qu'on puisse leur trouver des solutions dans l'immédiat: prenons ça plus «cool», même si tout semble urgent, car les mauvaises décisions font *augmenter* le nombre des urgences.

> Indications de survie

J'essaie d'expliquer ce qui ne va pas, mais je ne m'acharne plus pour que les autres comprennent. S'ils ne comprennent pas, c'est *leur* problème. Je m'occupe de *ma* vie, j'apprends à composer sereinement avec l'incompréhension ou l'absurdité des autres. Je n'en porte plus le poids.

> Je n'accepte plus de directives contradictoires; je montre qu'elles sont contradictoires et je demande *laquelle* des directives est la bonne, et ce, *par écrit*.
Si on ne veut pas me répondre, je transmets *par écrit* ou *devant témoin* quelle sera *la* directive que je vais suivre, du moins celle que je vais suivre en priorité.

> J'utilise mes forces pour choisir et accomplir le plus possible ce que j'aime, et pour refuser le plus possible ce que je déteste, et ce, autant quand j'accepte des tâches que lorsque je choisis les moyens de les exécuter.
Je prends conscience que j'ai *beaucoup* plus de pouvoir que je ne le croyais: et *j'accepte* de l'utiliser.

biens que l'entreprise met sur le marché, ou encore ils n'ont pas la moindre idée des effets dramatiques qu'auront dans une école ou un département d'hôpital les décisions qui leur paraissent pourtant logiques, bénéfiques et réalisables au moment où ils les prennent dans leurs bureaux.

Ils refusent d'entendre que, dans la *pratique*, ce qu'ils ont décidé est néfaste, irréalisable, sinon absurde: pour eux, *il faut* que ça fonctionne! Et ils croient tout naturellement qu'il revient aux autres de s'organiser pour arriver à mettre en place ce système qui, sur papier, semble tout à fait adéquat: «C'est pour ça qu'on vous paye, faites votre job, sinon ce sera de votre faute si ça ne marche pas.»

On se retrouve donc constamment confronté à des réorganisations de services et d'activités. Toutes sortes de directives, dont certaines sont contradictoires, nous arrivent d'on ne sait trop où et on ne sait trop pourquoi. On n'a pas encore appris à se servir d'un outil de travail qu'il est remplacé par un autre, théoriquement meilleur. Les objectifs qu'on croit devoir atteindre sont de plus en plus élevés et, malgré les apparences, les moyens dont on dispose pour les réaliser sont, dans les faits, non seulement réduits mais aussi, très souvent, inadéquats: par exemple, on a souvent davantage besoin d'un bureau où on pourrait avoir la paix ou de quelqu'un qui pourrait nous donner un coup de main que d'un nouveau téléphone cellulaire qui compose les numéros en 0,67 seconde de moins que celui qu'on avait la semaine dernière...

En outre, une bonne partie de notre tâche n'a plus rien à voir avec ce qu'on voulait vraiment faire quand on s'est engagé dans notre métier ou notre profession: par exemple, on n'a pas choisi d'enseigner parce qu'on voulait passer 75 % de notre temps à contrôler des élèves. De plus, une bonne partie de notre tâche nous paraît ridicule: par exemple, on ne voit pas toujours pourquoi il faudrait réveiller les patients dont on a la garde pour leur donner leur somnifère!

Tout cela réduit considérablement la valeur de notre travail et le sens qu'on y trouve. Ça explique aussi en grande partie pourquoi on n'a pas beaucoup le goût de se lever le matin...

«À côté», nos collègues manquant eux aussi de temps et de moyens, ils ont de plus en plus souvent tendance à nous «pousser dans le dos» (et on le leur rend bien); ou encore, ils sont tellement embourbés et malheureux que, humainement parlant, on sent qu'on ne peut pas les laisser dans un

> **Indications de survie**

Je ne me sens plus solidaire que des gens qui me rendent la pareille, tout en restant avant tout solidaire non pas de notre «esclavage» commun, mais bien de ma santé (et de la leur). Je refuse de participer à l'autodestruction de ceux qui se laissent couler, consciemment ou non, et qui veulent m'entraîner avec eux toujours plus vers le fond. Je les aide à réaliser ce qu'ils sont en train de faire, et je prends une direction beaucoup plus saine dans ma propre vie. Par-dessus tout, j'évite de rester solidaire de ceux qui veulent m'exploiter pour arriver à leurs fins.

Indications de survie

Je fais davantage attention à ne pas rejeter les autres, mais je ne laisse plus personne abuser de moi. J'apprends notamment à laisser crier ceux qui ont l'habitude de crier très fort pour qu'on donne priorité à ce dont ils croient avoir besoin.

Je cesse de m'isoler parce que j'ai honte de mon «incompétence» ou même de ma détresse; je trouve des gens qui peuvent m'écouter parler de mes difficultés sans me juger, mais qui ne sont cependant pas indulgents au point de me laisser me détruire sans rien dire. Par exemple, des gens qui ont déjà fait un burnout. Ou encore, je renoue contact avec des gens qui prennent la vie du bon côté et savent prendre soin d'eux-mêmes tout en restant responsables et efficaces.

Je cherche de l'aide professionnelle dès maintenant si je suis en détresse.

tel pétrin; alors, on met notre tâche de côté pour les aider: tant pis, on finira notre boulot ce soir ou samedi!

Chacun se sentant contraint d'accomplir une tâche immense, cette solidarité est elle aussi en train de s'effriter; on se juge beaucoup les uns les autres, on se pousse dans le dos, on développe du ressentiment à l'égard de ceux qui prennent un tant soit peu leur temps ou qui s'occupent d'eux-mêmes: l'entraide fait peu à peu place à l'isolement, à la méfiance et à la compétition. Après avoir été parachuté dans un nouveau service à la suite d'une fusion d'établissements, on peut même être carrément rejeté par nos nouveaux «collègues», qui considèrent notre présence comme une injustice faite à celui des leurs dont on aurait «volé» la place.

Finalement, on est aussi de plus en plus bousculé par «en bas», par ceux à qui on offre des biens ou des services. Aujourd'hui, beaucoup de gens ont en effet davantage tendance à faire valoir leurs supposés droits et prérogatives de manière sentie, quand ce n'est pas de façon irrespectueuse, grossière ou même très agressive. Il est loin d'être toujours facile de transiger avec «nos» clients, «nos» élèves, «nos» patients, ou encore avec les contribuables mécontents des comptes que «notre» service leur a fait parvenir et qui en profitent pour passer toutes les frustrations qu'ils vivent sur notre dos...

> Est-ce que le burnout vient essentiellement des changements que nous vivons au travail?

Oui et non. D'un point de vue social, on trouve bien l'origine de l'augmentation du stress au travail dans les changements dont nous venons de parler; et on a tout à fait raison de penser ainsi: «Ils sont devenus fous! Où vont-ils s'arrêter? Ça n'a plus aucun sens!»

D'un point de vue psychologique, on voit le stress au travail comme la conséquence de l'incapacité des individus à s'ajuster à ces changements: «Il faut que j'arrive à tout faire malgré tout!»; «J'aurais dû faire plus, je devrais être capable d'y arriver, je devrais mieux m'organiser»; ou encore: «Il faut que ça arrête! Il faut qu'ils comprennent!», plutôt que: «*Qu'est-ce que je fais*? puisque, *manifestement*, depuis *des mois et des mois*, «je» n'arrive pas à tout faire, «ça» n'arrête pas et «ils» ne comprennent pas.»

Le point de vue psychologique nous amène à transformer notre façon de vivre et de travailler, plutôt que de continuer à nous acharner à transformer le système ou de nous tuer à essayer de venir à bout d'une tâche qui augmente d'autant plus qu'on parvient à la remplir. C'est l'op-

> ## Indications de survie

Je reste poli, mais je ne tolère plus d'irrespect de la part de qui que ce soit. Je ne tolère *jamais* la violence. Je dénonce toute violence dont je suis ou j'ai été victime à mon employeur, à mon syndicat ou à la CSST (voir annuaire téléphonique, dans les pages bleues, sous Gouvernement du Québec, Commission de la Santé et de la Sécurité du Travail). Je contacte les services de police de ma municipalité ou encore l'IVAC (Indemnisation aux Victimes d'Actes Criminels, un des services de la CSST), si je suis victime d'un acte criminel.

> Indications de survie

Je cesse de combattre, je me ressource, je change ma façon de voir les choses.

> Explorer

Si on est patron, faisons attention de ne pas étouffer nos collègues ou nos subalternes, surtout ceux qui ne savent pas se défendre.

tion que j'ai choisie de privilégier dans ce livre, sans négliger de prendre en considération le grand impact que les changements sociaux continuent d'avoir sur nos vies.

Les changements personnels qui s'imposent du fait des changements sociaux sont cependant difficiles à mettre en place, car ils risquent de demander non seulement qu'on modifie quelques comportements (qu'on refuse d'accomplir certaines tâches ou de faire des heures supplémentaires, par exemple), mais aussi qu'on change ce qui, plus ou moins profondément en chacun de nous, fait qu'on est incapable de dire non: notre sens du devoir, notre peur de perdre notre emploi, notre sens de la solidarité, etc.

Chez beaucoup d'entre nous, ces «résistances» au changement sont très grandes. Par ailleurs, la demande découlant des bouleversements qui se sont produits dans le monde du travail est de moins en moins conciliable avec la santé. Il vaut donc la peine de diminuer nos résistances et de changer, d'autant plus que les transformations économiques et sociales auxquelles on fait face sont loin d'être terminées.

Et puis, si on était un peu moins esclave, on serait sans doute un peu plus heureux...

> Les patrons des entreprises et des institutions profitent-ils des nouvelles règles du jeu pour exploiter leurs employés?

Les entreprises qui exploitaient leurs employés continuent de le faire. Celles qui les respectaient essaient de persister dans cette voie, mais il leur est malheureusement devenu beaucoup plus difficile de garder des relations saines avec leur personnel alors que tout va très vite et que la moindre chose paraît cruciale.

C'est davantage sur l'irréalisme des gestionnaires que sur leur désir d'exploiter sciemment les employés qu'il me semble important d'insister ici. Tout bouge trop vite — les nouveaux produits, les nouveaux logiciels, les nouveaux moyens de production, les nouvelles façons de s'approvisionner en ressources qui doivent arriver au bon moment des quatre coins du monde, les nouvelles coupures, les nouvelles fusions, etc., — et personne n'arrive vraiment à savoir où on s'en va.

On a toujours affaire à une hiérarchie d'au moins quatre ou cinq niveaux de patrons; chacun d'entre eux vise un objectif précis même s'il (non seulement l'objectif, mais aussi le patron...) change souvent, exige quelque chose des autres afin que cet objectif se réalise (et ce, parce qu'il ne saurait y arriver seul), et ne veut surtout pas savoir comment ces derniers vont s'y prendre pour satisfaire sa demande. Une chose est claire: il faut *absolument* que ça fonctionne!

> Indications de survie

Je refuse désormais de me laisser exploiter, du moins de me laisser exploiter sans chercher très activement des moyens concrets pour que cela cesse dans les plus brefs délais. Je ne suis pas un âne! Je n'ajoute plus aveuglément les tâches de mes collègues aux miennes: j'apprends plutôt à attendre sereinement qu'ils aient terminé, je travaille sur d'autres dossiers en attendant, ou je m'en fais retirer quelques-uns s'il est préférable que j'aide mes collègues.
Trop, c'est trop: je réduis dès maintenant le poids que j'ai sur les épaules.

> Explorer

Avant d'accomplir quelque tâche que ce soit, demandons-nous toujours quel est l'objectif poursuivi. Ne poursuivons que des objectifs réalisables se situant à l'intérieur d'un plan d'ensemble défini. Si rien n'est clair, ne perdons pas de temps à peaufiner des projets qui risquent de se retrouver à la poubelle: préparons des «esquisses honorables», c'est-à-dire essayons de savoir globalement où on veut aller, élaborons et exécutons une première étape de notre plan, corrigeons le tir s'il y a lieu, et ainsi de suite.

> Indications de survie

Je m'éloigne physiquement et émotivement des gens qui me font du mal. J'évite d'appartenir à l'une ou l'autre des «cliques» rivales: la solidarité qui se limite au dénigrement des absents ne produit rien de constructif; je suis non pas *contre* les «méchants», mais *pour* moi. C'est beaucoup plus doux, plus reposant, et c'est aussi très bon pour les autres.
Plutôt que de pressurer mes subalternes ou mes collègues, je dis de façon responsable à mes supérieurs que «je fais ce que je peux avec les moyens que j'ai». Si ce n'est pas suffisant que je le leur dise pour qu'ils comprennent, je le leur *montre*: je les mets devant le fait accompli, c'est-à-dire devant une tâche «qui avance mais n'est évidemment pas encore terminée»... exactement comme je les en avais prévenus!

> Indications de survie

Je trouve des moyens plus simples pour atteindre *mes* objectifs, et je garde toujours du recul: j'évite de m'investir à fond de train dans des impasses.
Mon objectif premier pour l'instant: conserver la santé. Mon objectif pour plus tard: conserver la santé! C'est-à-dire conserver l'équilibre qui permet d'être à la fois productif et heureux.

Chacun se sent pressuré et ne voit rien de mieux à faire que de pressurer ceux qui sont sous ses ordres. La collaboration a fait place à la méfiance, aux pressions indues, et souvent même à la jalousie et à la compétition, ce qui nous mène au ressentiment, à la formation de «cliques» rivales, etc.: on finit ainsi par collaborer au même projet les uns... *contre* les autres!

> À l'inverse, n'y a-t-il pas des abus de congés de maladie?

Bien sûr! Les gens qui profitaient du moindre prétexte pour s'absenter avant que les règles du jeu ne changent disposent maintenant d'une nouvelle échappatoire en or pour s'éclipser. Les manigances de ces faux joueurs constituent d'ailleurs une plaie supplémentaire pour leurs collègues: d'abord, ces derniers se retrouvent avec un surplus de travail (la tâche que les tricheurs ne font plus leur est distribuée) mais, surtout, ils ont une peur bleue qu'on ne les soupçonne eux aussi d'être malhonnêtes et de faire semblant d'être malades. Ils continuent donc d'aller travailler même quand ils n'en peuvent plus, d'autant qu'ils savent que s'ils s'absentent quelques jours, le travail va s'accumuler et que, s'ils s'absentent plus longtemps... leur tâche sera redistribuée aux autres!

Et en plus des faux malades, il y a encore des gens qui ne font pas ce qu'ils ont à faire quand ils sont au travail. Tout n'a pas changé...

> ### Dans quels milieux de travail les risques d'épuisement sont-ils les plus grands?

On retrouve des gens qui souffrent d'épuisement professionnel dans presque toutes les compagnies, petites ou grosses, dans toutes les écoles, cégeps et universités, dans tous les hôpitaux, et de plus en plus chez les fonctionnaires, et ce, à tous les niveaux hiérarchiques de toutes ces entreprises et institutions.

Tout le monde dépend de tout le monde, mais personne ne sait vraiment ce qui va se passer demain. Ou pire: beaucoup de gestionnaires «savent» ce qui «devrait» se passer demain, mais ils n'en ont pas discuté ensemble; alors, ils arrivent tous avec des exigences différentes, qu'ils imposent aux mêmes personnes!

57

> ### Indications de survie

Je me méfie à la fois de mon héroïsme et de ma tendance à avoir peur du jugement des autres; ces attitudes se retourneront d'ailleurs *contre* les autres si je me rends jusqu'au point où je ne pourrai plus rien assumer et où je devrai prendre un congé de maladie. J'utilise mon courage là où il va se révéler constructif et vivifiant.

> ### Réaliser

Combien de nos collègues de travail ont-ils dû prendre un congé de maladie pour épuisement durant les trois dernières années? Combien d'autres ont présentement l'air plus morts que vivants? Connaissons-nous des gens en burnout qui avaient pourtant l'air indestructibles?

> ### Indications de survie

Je ne suis plus aveuglément les directives de ceux qui «savent» ce qu'il faut faire: peut-être «sauront-ils» tout à fait autre chose demain ou la semaine prochaine! De plus, je prends conscience qu'il arrive souvent qu'ils ne pensent pas la même chose que leur supérieur (ou que le siège social) ou qu'ils quittent leur poste pour aller travailler ailleurs et sont remplacés par d'autres qui, adoptant un point de vue différent, vont venir encore une fois tout restructurer, jusqu'à la prochaine restructuration...

En vivant continuellement comme si la moindre chose était dramatique, on court forcément à longueur de journée. Un peu comme dans un cauchemar, on ne sait cependant plus de quelle course on fait partie, contre qui on court, pourquoi on nous oblige à faire des choses qui nous apparaissent insensées tout en nous empêchant de faire ce qui aurait du sens (du moins à nos yeux), et encore moins quel est l'enjeu de cette folie générale. Non seulement ne le sait-on pas, mais on a l'impression que personne ne le sait...

Cela dit, les milieux de travail où la vie et la mort sont en jeu (les hôpitaux, les aéroports), ceux où la relation d'aide occupe une grande place (les écoles, les centres communautaires), ceux où tout paraît constamment urgent même si les enjeux sont moins grands, ceux où se négocient des millions de dollars, ceux qui demandent une disponibilité sans bornes, ceux qui sont sans cesse en restructuration, ceux où les menaces de fermeture ou de coupures de personnel sont très grandes et ceux où la compétition entre les individus est immense constituent des environnements de travail où les risques de burnout sont encore plus grands qu'ailleurs.

> *En pratique, comment ces changements se traduisent-ils pour les employés dans leur vie de tous les jours?*

> **Se questionner**

Quels sont les pièges de ce type dans notre travail? Comment y réagissons-nous?

Voici quelques exemples concrets. Vous êtes infirmière au département de chirurgie d'un hôpital et beaucoup de vos consœurs ont profité des offres du gouvernement pour prendre leur retraite et ainsi sauver leur peau pendant la restructuration des services de santé; c'est bien, mais voilà: beaucoup de postes sont laissés vacants, et d'autres sont comblés par des infirmières qui, n'ayant pas l'expérience nécessaire, deviennent une charge supplémentaire pour vous. Les gens ne sont pas moins malades et les chirurgiens continuent leur travail. Vous n'avez évidemment pas le temps de parler aux patients dont vous devez prendre soin. Vous dites oui ou non aux heures supplémentaires devenues «régulières»?

Ou bien vous travaillez au siège social d'une grande banque, dans le service responsable de la gestion des chèques émis par tous les clients. Il vous arrive quelques centaines de milliers de chèques tous les mois. Mais voilà, plusieurs compagnies clientes impriment leurs propres chèques, et ces derniers «collent» les uns aux autres dans la machine vous servant à en faire le traitement. Si vous insistez pour que ces compagnies changent leur matériel d'impression, elles risquent fort d'aller voir si une autre banque ne ferait pas mieux l'affaire. La semaine prochaine, il arrivera 100 000 nouveaux chèques. Vous remettez le problème à demain ou au mois prochain?

Autre exemple: vous remplacez votre patronne pendant ses vacances et, dès la première semaine, des professionnels de l'informatique travaillent

> ## Explorer

Si on a presque continuellement le sentiment d'être à la course, exerçons-nous à regarder l'ensemble de notre vie actuelle avec des «verres à foyer progressif» plutôt que de restreindre notre vie à toutes nos tâches et de ne regarder ces dernières qu'à travers une loupe, comme on le fait trop souvent: on peut concentrer notre regard sur la tâche qu'on accomplit, mais situons toujours cette tâche dans l'ensemble de notre travail, et le travail dans l'ensemble de notre vie. Cultivons la même habileté à la maison.

> Indications de survie

Je choisis les tâches ou les méthodes auxquelles je vais... renoncer! Je sais que je ne pourrai pas ralentir si je ne renonce à rien, et je prends conscience que la solution n'est pas de courir plus vite: je suis déjà à bout de souffle! J'accepte de lâcher prise, j'accepte de laisser tomber une partie du poids que je me suis mis sur les épaules sans trop m'en apercevoir, une partie du poids que, consciemment ou non, d'autres ont mis sur mon dos.

> Indications de survie

Je réalise que lorsque je donne 120 %, on me demande 130 %. Et si je parviens à donner ce 130 %, je sais maintenant que je ne viendrai pas davantage à bout de la tâche et qu'on ne m'en remerciera pas: on va plutôt me demander 140 %. Je cesse de jouer au héros (ou au martyr), et je réduis immédiatement mon investissement au travail. Au fond, pour moi, c'est peut-être ça qui serait le plus héroïque...

pendant deux nuits (il ne faut pas déranger le travail régulier!) pour installer les nouveaux ordinateurs qui ont été choisis dieu sait par qui. La deuxième nuit, les techniciens ont fini leur travail et repartent avec les anciens ordinateurs. Quand vous arrivez... personne ne sait faire fonctionner le nouveau matériel, et personne ne sait utiliser les nouveaux logiciels! Le travail est en retard, et beaucoup de dossiers sont «rush». Vous faites quoi?

Ces exemples réels se multiplient à l'infini et, croyez-moi, je n'ai pas reproduit ici les cas les plus farfelus qui me sont racontés dans mon bureau! Si on ne prend pas le temps de se donner du recul et de faire de nouveaux choix, si on continue encore et encore de donner du «120 %», on ne pourra faire autrement que d'être continuellement obsédé par les problèmes et de se tuer à essayer de les résoudre car, jour après jour, de *nouvelles* difficultés surgissent.

> Comment réagir dans ces situations «urgentes»?

On peut commencer par déterminer si l'urgence est dans notre tête ou dans la situation! Pour reprendre les idées de Stephen Covey[4], disons qu'on peut diviser les tâches selon qu'elles sont urgentes on non, et aussi selon qu'elles sont importantes ou non. Consacrons-nous d'abord aux choses urgentes et importantes, puis ensuite aux choses importantes qui ne sont pas urgentes: bien se reposer, faire de l'exercice, passer du temps avec ceux qu'on aime, planifier le travail, s'organiser, mieux savoir où on s'en va, etc. Laissons les urgences non importantes nous attendre: tantôt, il sera trop tard pour nous en occuper, et... c'est tant mieux!

Attention, car lorsque tout le monde est à la course, on est facilement porté à penser qu'il «doit» y avoir urgence. En pratique, voyons si la vie et la mort sont en jeu et, sinon, apprenons à nous demander ce qui arrivera *vraiment* si ce dossier qui paraît tellement vital attend un peu.

Ce qui semble urgent peut très bien ne pas être prioritaire. Par exemple, si le train part ce soir à 20 h, à 20 h 01 il sera trop tard pour y monter. Il est donc urgent de se décider.

4 Covey, Stephen R., Merrill, A. Roger et Merrill, Rebecca R.: *Priorité aux priorités*, First, Paris, 1995.

> Indications de survie

Je réalise à quel point je ressens de la pression *intérieure.* Je prends du recul, je me donne un plus grand espace intérieur pour juger des choses, je ne me fie plus à mon sentiment de tension psychologique et corporelle qui me pousse continuellement à décider et à agir vite. D'abord et avant tout, je *calme* mon sentiment intérieur; ensuite, je décide posément de ce que je fais et de la vitesse à laquelle je veux l'exécuter, en restant vigilant pour déceler toute augmentation de ma tension intérieure. J'apprends à «respirer par le nez», je ne laisse plus ma tension prendre le dessus et transformer la moindre chose en urgence nationale.

Mais est-il vraiment essentiel de prendre ce train? Plus souvent qu'autrement, on se sent tellement pressé de faire les choses qu'on ne prend pas le temps de se demander en quoi celle-ci ou celle-là est importante. Donc, très souvent, on est pressé... parce qu'on est pressé! Et ce n'est certainement pas en continuant de se dépêcher constamment qu'on arrivera à ne plus se dépêcher! Prenons au contraire notre temps pour mieux choisir ce à quoi on veut vraiment consacrer notre énergie.

Beaucoup de dossiers qui «semblent» urgents et importants *ne sont donc pas prioritaires*; malheureusement, on laisse souvent de côté des choses très importantes, moins urgentes, pour s'y jeter tête baissée. Les choses étant très souvent corsées au travail, on apprendra donc à distinguer ce qui est urgent, important et prioritaire, et à agir en conséquence tout en prenant bien soin de nous (ça, c'est toujours important et, quand ça devient urgent, on n'a malheureusement pas toujours le réflexe d'en faire une priorité...).

Il reste donc des choses *vraiment* importantes: ne les laissons pas de côté pour nous occuper d'urgences futiles. Quelques-uns de ces dossiers importants, peu nombreux, sont aussi urgents. Il convient d'y réagir comme on l'a toujours fait, c'est-à-dire en se faisant une priorité de les régler. Mais, aujourd'hui, il convient *aussi* de développer la conscience aiguë qu'on ne peut pas pallier toutes les absurdités d'un système qui nous échappe, et qui échappe peut-être à tout le monde, ce qui engendre nombre de problèmes importants auxquels il paraît toujours urgent d'apporter des solutions.

> Un exemple?

Reprenons l'exemple de l'employée qui remplace sa patronne et se retrouve avec des ordinateurs que personne ne peut faire fonctionner. Il nous enseigne au moins que, comme personne ne peut se servir de ces ordinateurs, ce n'était *certainement pas urgent* de les faire installer!

Alors, revenons aux priorités. Non pas à celles de l'entreprise, mais *aux nôtres*. Il peut évidemment y avoir des recoupements.

Trois questions se posent:

1. Les priorités personnelles

Quelle partie du travail urgent et important peut-on accomplir avec les moyens dont on dispose encore, compte tenu de *nos* priorités? Quand ce travail est en marche, on se demande où trouver rapidement du matériel, du personnel ou même des ressources extérieures qui permettraient de répondre à ce qui est très urgent et très important pour l'entreprise. Quand une entreprise a vraiment des priorités, par définition, elle

> ## Indications de survie

Pour l'instant, je place d'abord et avant tout ma santé en priorité. Ensuite, et ensuite seulement, j'établis mes priorités de travail, d'études et de tâches à la maison en fonction de ce que j'aurai jugé comme important dans ma vie. Parmi ces choses importantes, j'accomplis alors ce qui est le plus urgent, et je consacre *aussi* du temps à ce qui est important sans jamais se présenter comme une urgence: le repos, la vie familiale, les joies quotidiennes, la santé, etc. Devant toute tâche, je me pose la question: «Est-ce prioritaire pour moi?» Si ce ne l'est pas, *je laisse tomber*, même si ç'aurait pu être important, même si j'ai des regrets. Si j'ai trop de priorités, je me fais une nouvelle priorité: celle de réviser mes priorités. *J'apprends à choisir.* J'apprends à garder en tête que j'existe, que je ne suis pas uniquement un pantin, un esclave des «choses à faire».

Je me rappelle souvent qu'il y a plus de gens pressés que de situations vraiment urgentes. Je me rappelle aussi chaque fois que, parmi ces gens, le plus dangereux, c'est moi!

63

> Réaliser

Si, d'un côté, il est irresponsable de rester stoïque devant des catastrophes, de l'autre, il est très dangereux de prendre la responsabilité de mener à bien ce sur quoi on n'a pas de pouvoir (et, à un autre niveau, il est tout aussi irresponsable de prendre plus de responsabilités que ce qu'on est capable d'assumer, compte tenu de notre état de santé).

> Indications de survie

J'apprends à faire ce que je peux faire tout en restant en santé, et je laisse le reste pour demain. J'apprends à composer de façon responsable avec les bêtises des autres ou du système, mais sans payer outre mesure de ma personne.

est en effet toujours prête à payer pour qu'on y réponde. Sinon, c'est *son* problème. On collabore, mais on n'en donne pas davantage que ce que le «client» est lui-même prêt à faire.

Et, à moins vraiment d'un cas de force majeure, on quitte notre lieu de travail à l'heure prévue à notre horaire.

2. Les choses importantes et relativement urgentes

Comment apprendre à utiliser le nouveau matériel dans des délais relativement brefs, ou comment récupérer une partie des anciens ordinateurs? À qui la responsabilité de trouver les réponses à ces questions revient-elle? Comment organiser le travail pendant la période d'apprentissage?

3. Les choses très importantes, mais pas forcément urgentes à première vue

Comment une telle incohérence a-t-elle pu se glisser dans l'organisation du travail, et comment éviter qu'une telle absurdité ne se répète? Ce n'est en effet certainement pas la première fois qu'on nous place devant ce type d'aberration, et ce ne sera sûrement pas la dernière si le problème n'est pas réglé à la base, *là d'où il vient plutôt que là où il aboutit.* Il n'est pas forcément urgent de résoudre ce problème, mais... ça presse! En fait, c'est *important*. En fait, c'est *prioritaire*.

S'il peut revenir à la remplaçante de *poser* cette question, il ne lui incombe cependant pas de *résoudre* le problème qu'elle définit, puisque ce dernier se situe à un niveau où elle n'a aucun pouvoir.

> Pourquoi voit-on des urgences partout?

Assez curieusement, le fait que tout le monde court nous fait croire qu'il *doit* y avoir urgence. Il est très difficile de répondre «prends ça cool» quand une multitude de gens ont l'air de croire qu'ils vont mourir si on ne répond pas dans la seconde à leurs demandes.

De plus, un peu comme il est difficile de ranger le pinceau et la peinture quand on a déjà repeint les trois quarts de la pièce qu'on veut embellir, il est relativement «antinaturel» d'interrompre notre travail tant qu'on n'a pas terminé. Par ailleurs, comme on n'arrive plus jamais à terminer, on a forcément le sentiment que «ça» urge.

> **Indications de survie**

Quand j'hérite d'un dossier mal fait, je prends désormais l'initiative de... déléguer la tâche de le refaire aux personnes responsables des erreurs, plutôt que de travailler à leur place. Au lieu de toujours hausser les épaules de dépit en me demandant «qui va le faire si je ne le fais pas?», je vais jusqu'au bout et... je réponds à ma question! Ou je laisse mon patron y répondre.

> **Indications de survie**

J'ose poser les bonnes questions aux bonnes personnes. J'y réussis plus facilement en décrivant les faits («je vous avise qu'il est arrivé telle chose à la suite de telle décision») qu'en attaquant les gens («on est encore dans la m... à cause de toi, espèce d'imbécile!»). Je me permets de proposer une solution, mais je n'oblige plus personne à l'adopter. Je reviens plutôt à *mes* priorités de travail, et non à ce que «devraient» être celles des autres.

Pour certains, la peur de l'autorité entre aussi en ligne de compte: si le patron dit que c'est urgent, comment désobéir?

Et puis, il y a notre malaise intérieur, qui tourne en obsession. Quand on est obsédé, par définition, *tout* ce qui concerne notre idée fixe nous semble important, *tout* nous paraît urgent. Il est donc fort utile de réaliser que notre sentiment d'urgence nous vient le plus souvent non pas de la situation, mais de l'obsession qu'on entretient à son sujet.

Indications de survie

Sans en faire une obsession, je m'occupe activement de mon obsession... Je me mets dans la tête que, quoi qu'il arrive, «la vie continue» et que «demain est un autre jour».

Alors qu'on tient à venir à bout de nos problèmes parce qu'on les considère comme des urgences nationales, ce n'est que *pour se soulager de notre tension qu'on veut y parvenir*. (Dans bien des cas, je le concède volontiers, c'est sans doute une urgence nationale que de diminuer notre tension!) On est obsédé par l'idée de parvenir à tout faire parce qu'on veut se soulager de cette même tension qu'on entretient en étant obsédé! On tourne en rond, *on cherche la solution à la mauvaise place.*

Si on «travaillait» plutôt notre obsession?

Il ne s'agit pas d'être médiocre: il s'agit d'être *beaucoup* plus conscient de nos forces et de nos limites ainsi que de celles du système dans lequel on évolue: on fera nos choix en conséquence. Et attention de ne pas *entretenir* la médiocrité du système en se surpassant continuellement soi-même pour compenser ses ratés.

Explorer

Être responsable ne consiste pas à prendre le poids du monde sur son dos. Restons responsable, mais tenons compte du contexte dans lequel on évolue. Il est absurde de prendre la responsabilité de tout «sortir» à temps si on n'a aucun contrôle sur ce qui «entre».

> ### Les entreprises commencent-elles à prendre conscience des coûts qu'engendre l'absentéisme de longue durée lié à l'épidémie d'épuisement professionnel?

On ne remarque pas de mouvement massif. Il existe encore des entreprises où les décisions se prennent à l'échelle humaine, si l'on peut dire, et où les patrons sont susceptibles de mettre en place de nouvelles conditions pour éviter que leurs employés à risque et eux-mêmes ne soient victimes de burnout. C'est la version actuelle du «Small is beautiful».

À l'opposé, on trouve des entreprises et des institutions qui croient que les absences pour maladie sont exclusivement dues aux faiblesses personnelles des gens qui sont tombés. Alors qu'un cadre de niveau 2 interrogeait son patron sur ce qu'il entendait faire devant l'augmentation des congés de maladie pour épuisement, ce dernier lui a répondu qu'il n'avait pas besoin de gens qui font des dépressions et qu'il chercherait désormais des personnes solides! Depuis, on fait passer des tests à tous les nouveaux employés pour dépister les personnes à risque, c'est-à-dire les «faibles».

Dans une succursale d'une institution de crédit où les employées s'écroulaient les unes après les autres à la suite de l'augmentation des tâches et du changement de «vocation» imposés au personnel, les patrons ont

> ### Indications de survie

Je continue d'être utile, c'est très sain; mais j'évite de croire que tout va s'écrouler si je donne moins de 120 %. Et j'arrête de me croire indispensable. Je cesse d'être le sauveur (ou le cornichon...) sur lequel on compte pour suppléer aux ratés du système. Mon grand cœur mérite autre chose, et n'y a-t-il pas un jardin que je néglige qui pourrait fleurir tellement mieux, où le retour de mon sourire ferait des heureux?

> Indications de survie

Je réduis considérablement mon investissement *émotif* dans le travail. J'y mets du mien, mais je n'y laisse plus mon âme. Je me demande sérieusement si quelqu'un se soucie encore de moi et je réalise que, si mon employeur est resté humain, il comprendra *sans aucun doute* que je me dois de ralentir. Et ce, surtout s'il compte sur moi!

> Je sais que certains cadres sont humains, mais je cesse d'attendre le messie. De toute façon, le roulement des cadres est très rapide: je reste vigilant.

conclu que la calamité, c'était la ménopause!

Mais quelques entreprises désirent encore garder leur personnel, lui donner de bonnes conditions de santé, et elles s'intéressent donc au phénomène de l'épuisement. Dans beaucoup de cas, on note aussi une grande amélioration du climat de travail quand un supérieur, bureaucrate et inhumain, est remplacé par un autre qui tient davantage compte des gens et de la situation, qui va épauler les employés et les aider plutôt que de constituer un problème de plus pour eux.

> *Ces préoccupations pour la santé du personnel nous mènent-elles à une nouvelle culture du travail?*

Absolument pas! La nouvelle culture, *c'est celle qui mène à l'épuisement professionnel*. Elle va faire son temps. Il est encore beaucoup trop tôt pour parler de réaction massive contre cette hécatombe, même si on trouve actuellement sur le marché toute une littérature qui redéfinit de façon plus saine les relations entre employeurs et employés. On y décrit le travail comme une façon de répondre à ses besoins fondamentaux d'être humain, plutôt que comme un esclavage nécessaire, uniquement destiné à favoriser l'enrichissement personnel, celui des actionnaires de la compagnie, ou encore l'équilibre budgétaire de l'État: employeurs et employés se retrouvent ensemble, autour de valeurs humaines, à utiliser leur temps pour faire quelque chose d'utile pour eux et pour la société. Les livres de Stephen R. Covey, dont je parlais précédemment, décrivent bien ces nouvelles manières d'entrevoir le travail, et ce sont des best-sellers. Mais il faut compter beaucoup de temps avant que les idées finissent par faire leur chemin [5].

Dans l'un de nos ateliers sur le stress, un cadre d'une multinationale disait que le «respect des personnes» faisait maintenant partie des normes de gestion de son employeur, et que ce dernier mettait régulièrement en place des programmes de formation sur les moyens concrets d'intégrer cette valeur humaine au travail de tous les jours. Il y a donc de l'espoir... mais, à court terme, il y aura de plus en plus d'épuisement professionnel.

> **Indications de survie**

Je cesse d'attendre que mon employeur se décide à me respecter: *je prends de l'avance* et je me fais respecter, poliment mais sûrement.
Je réalise aussi que je peux être ferme sans être arrogant: je peux imposer l'une ou l'autre des décisions concrètes que j'ai prises pour prendre soin de moi sans être agressif ou méprisant envers ceux qui préféreraient que je continue de me détruire pour répondre à leurs prétendus besoins.

> ### *Peut-on encore se permettre de ne pas être ultra-performant?*

D'un côté, la compétition est féroce et le sort même de l'entreprise *paraît* souvent lié à la flexibilité des travailleurs

---

5 Comme le disait Churchill, les Américains finissent toujours par employer la bonne solution. Le problème, c'est qu'ils ne le font que lorsqu'ils ont utilisé toutes les mauvaises...

Se questionner

Est-ce que nos collègues qui ont perdu leur emploi ont été congédiés parce qu'ils refusaient de se «défoncer»? Avons-nous des collègues moins dévoués, dont le poste n'est pas plus menacé que le nôtre?

de même qu'à leur rapidité d'exécution. Mais, de l'autre, ce n'est pas parce qu'on accepte depuis cinq ans de faire des heures supplémentaires ou de prendre nos vacances en octobre plutôt qu'en juillet que la multinationale qui nous emploie va décider de ne pas fermer l'usine où on travaille. Ce n'est pas parce qu'on s'empêche de dormir la nuit qu'on va garder notre poste quand l'entreprise qui nous emploie fusionnera avec une autre. Quand on travaille sur une ligne de montage, le fait qu'on soit ou non remplacé par un robot dans les mois à venir dépend moins de notre rapidité d'exécution et de notre dévouement que des éventuelles tractations que les actuaires de la compagnie sont en train d'étudier, voire de négocier à notre insu.

De même, le ministre de la Santé n'évalue pas chaque employé avant de décider combien d'argent il va retirer du système ou combien de lits d'hôpitaux il va «falloir» fermer dans telle région, voire quels hôpitaux «devront» définitivement fermer leurs portes.

Les coupures de postes et les congédiements n'ont plus beaucoup à voir avec le degré de performance des employés: ils dépendent des décisions des gestionnaires des entreprises ou du gouvernement, qui regardent non pas qui fait son travail et qui ne le fait pas, mais plutôt comment «réorganiser» l'entreprise, «restructurer» le réseau de la santé ou «redistribuer» les tâches pour arriver, au moins sur papier, à produire davantage en investissant moins d'argent.

> *Un exemple?*

Au Québec, la réforme de la santé illustre bien ce type de changement où la théorie a prévalu sur la pratique: on a voulu sauver les millions de dollars qu'on «devait» économiser sans que cela ne nuise aux services. On a donc fait exécuter des calculs *extrêmement* savants sur des ordinateurs *extrêmement* puissants par des gens *extrêmement* compétents: alors, forcément, tout le monde est content... si on excepte les patients hospitalisés, les patients en attente de services, leurs parents et amis, le personnel hospitalier, le personnel des CLSC et les médecins.

C'est absurde, mais c'est comme ça un peu partout. On croit qu'il nous faut résoudre des problèmes extrêmement complexes dans des délais très courts; on choisit donc d'utiliser une approche théorique. Tout fonctionne bien sur papier, mais on omet de faire les essais concrets qui sont toujours nécessaires quand on veut valider tout changement ayant le moindrement d'envergure. Alors, très souvent, on se retrouve devant un gâchis, qu'on essaie de nouveau de réparer... grâce à une approche essentiellement théorique! Ou bien, on bricole vite fait des accommodations temporaires, on «patche», en faisant semblant d'avoir réglé le problème.

Qu'on s'épuise ou non au travail, la vie continue; c'est ce qu'ont compris ceux qui ne s'épuisent pas, ce qui n'empêche pas la plupart d'entre eux de bien faire leur travail, *dans la mesure des moyens mis à leur disposition*. L'absolue nécessité de travailler comme un fou pour arriver à conserver son emploi est un mythe qu'entretiennent malgré eux les candidats au burnout — et leurs patrons. Il y a bien sûr des exceptions, mais dans l'immense majorité des cas, la peur n'est pas fondée. Souvent, *cette peur en cache une autre*, comme on le verra plus loin.

> ### La menace de congédiement n'est-elle pas plus grande dans les petites entreprises non syndiquées?

Un patron peut toujours nous menacer de congédiement; mais si on n'a rien à se reprocher et que, plutôt que d'endosser un rôle de victime, on défend nos droits devant la Commission des normes du travail, par exemple, on aura très souvent gain de cause: le droit de gérance n'est plus ce qu'il était en 1950.

Évidemment, il existe encore un certain droit de gérance; mais, comme c'est le cas depuis toujours, l'employeur s'en sert davantage pour éliminer des gens avec qui il est en conflit ou pour favoriser une nouvelle personne au détriment de ses employés actuels que pour se débarrasser de ceux qui font très bien leur travail tout en refusant de se tuer à la tâche.

> ## Indications de survie

Je me prends davantage en main si on me menace de représailles alors que je donne un bon rendement. Je me considère un peu moins comme une victime et je m'arme un peu plus: ça aide d'ailleurs souvent les éventuels bourreaux à changer d'avis.

Les employeurs ont aussi tout intérêt à éviter de «brûler» des salariés consciencieux sous prétexte que l'entreprise n'est pas encore suffisamment rentable. À partir d'un certain point, la pression exercée sur les employés fait en effet décroître leur rendement. On sait aussi que, à moyen terme, le mécontentement généralisé, l'insécurité et la fatigue devenue chronique ne sont pas les principaux moteurs de la productivité. Et un fort taux de roulement du personnel n'a jamais constitué un gage de succès pour les PME!

> *Malgré la pression quotidienne qu'on subit au travail, il serait donc possible d'éviter le burnout?*

Oui, sur une base individuelle, même si on est à l'emploi d'un patron ou d'une entreprise qui coupe, restructure et exige sans cesse l'impossible, on peut toujours éviter le burnout. Cela suppose cependant, si on travaille dans l'un des multiples endroits à risque, qu'on accepte de se donner une vision de la vie, du travail, de soi-même et de ses relations aux autres qui soit quelque peu à contre-courant des recettes de bonheur que notre société continue de nous proposer. Le contexte de travail ayant changé, ces recettes mènent maintenant non pas au bonheur, mais bien à l'épuisement.

La solution par excellence contre l'épuisement, autant pour le prévenir que pour en guérir, c'est d'arriver à conserver (ou à retrouver) un certain *équilibre personnel*, lequel n'exclut pas d'être responsable et d'établir des relations saines avec les autres, bien au contraire! (Voir la quatrième partie de cet ouvrage.)

> ## Explorer

Apprenons à nous considérer comme des travailleurs autonomes: voyons notre employeur comme un «client», et sachons qu'il est toujours possible de changer ce client s'il se montre trop exigeant compte tenu de ce qu'il offre comme conditions de travail. On peut toujours «remercier» notre employeur s'il n'est pas un bon client.

> ## Indications de survie

Désormais, j'utilise mes belles qualités pour conserver ma santé, ma joie de vivre et mon niveau de productivité plutôt que pour courir à ma perte.

> *Mais cet équilibre personnel ne fait-il pas justement partie des recettes de bonheur de notre société?*

Sans doute, mais c'est de la frime, car on nous invite *aussi* à nous défoncer. Le profil type du candidat au burnout et celui de la personnalité de la semaine ou du mois de votre revue ou journal préférés se superposent très bien: c'est un être responsable, courageux, intelligent, créateur, toujours en pleine possession de ses moyens, qui veut tout réussir, ne laisse jamais tomber les autres quelles que soient les embûches, et se rend toujours au bout des tâches et des mandats qui lui sont confiés sans perdre son équilibre (ou sans sembler le perdre...). C'est le type d'individu qui se dit toujours qu'il pourrait ou aurait pu en faire davantage et qui, ainsi, arrive à la conclusion que le problème, c'est lui-même. Alors, il se remet à la tâche. C'est ce qu'on valorise.

> Indications de survie

Je reste fier de moi; non plus en me tuant au travail, mais en ralentissant et en *évitant* de m'épuiser!
Je travaille *autrement* à conserver mon estime de moi. Je suis responsable, mais je ne suis pas téméraire: je cesse de cultiver ma souffrance, je cultive au contraire ma joie de vivre et je la partage avec les autres.

Mais, par ailleurs, on n'entend plus parler de ces héros quand ils viennent soigner leur souffrance dans les bureaux des médecins et des psychologues: on vante plutôt les mérites de ceux qui les remplacent... Ou bien on parle du «mauvais sort» qui frappe «injustement» des gens si dévoués par une mort prématurée, une maladie, une dépression ou un suicide apparemment incompréhensibles.

Je ne veux certes pas condamner la générosité et le dévouement, et je veux encore moins dénigrer les *gens* généreux et dévoués: ce sont des valeurs (et des gens) dont nous avons grandement besoin. Mais pourquoi ne serait-on pas généreux tout en prenant soin de nous?

La générosité est une chose, le martyre en est une autre; si on est généralement heureux d'avoir été bienveillant, on regrette toujours de s'être laissé martyriser, tout en ressentant une immense rancune contre nos bourreaux. Alors, faisons attention à nos choix de vie car, dorénavant, on risque fort de perdre notre équilibre si on a le profil du «dévoué à la cause»: on devient alors dépendant d'une multitude de choses sur lesquelles on n'a aucun contrôle, de même que de gens sur lesquels on n'a que peu d'influence, mais qui vont trouver en nous la «ressource» idéale dont ils ont prétendument tant besoin.

À la longue, si on reste un travailleur acharné malgré ce contexte, on risque fort de s'épuiser à vouloir réaliser l'impossible, de perdre cet équilibre que la société dit valoriser. Alors, comble de l'ironie, tout le monde nous tiendra responsable de notre souffrance, car on «aurait dû» tout réussir sans s'épuiser: on n'avait qu'à se reposer! Le pire, c'est qu'on

75

> ## Indications de survie

J'amorce immédiatement ce nouveau «virage» et «j'administre» un coup de grâce à la mauvaise «gestion» de mon «capital» santé. Je supprime le gaspillage de mes forces vitales, j'apprends à négocier la priorité de l'équilibre personnel. Je m'impute un budget «plaisir de vivre», je procède au *downsizing* des ressources personnelles que je consacre au travail, j'élimine totalement mon déficit énergétique, j'investis dans mon avenir, je restructure mon emploi du temps, je fusionne mon désir de bien faire et celui de vivre heureux, je procède à une coupure de sévices, et je fais augmenter mes actions bien ordinaires, assurant la croissance de mon bonheur. Je respecte l'échéance de rentrer chez moi dès 17 h, et je me donne la formation nécessaire pour intégrer tous ces nouveaux outils. J'obéis en tout à ce nouveau «patron»: il me permettra de remonter la «cote», d'atteindre la qualité totale de sommeil à laquelle j'aspire et... de travailler de façon responsable sans me détruire.

endossera ce blâme! Combien de fois, en effet, ne s'est-on pas dit: «Il faut que je me repose!»?

L'idéal que la société continue de nous proposer correspond maintenant à une *tâche impossible*: tout faire *et* garder l'équilibre.

Plutôt que de chercher à garder notre équilibre *pour continuer* à vivre dans des conditions qui n'ont aucun sens, on verra au contraire à mieux composer avec ces conditions (ou à changer nos propres exigences), *de façon à pouvoir* conserver notre équilibre physique et mental. Cet important changement d'optique nous permettra à la fois de travailler honnêtement et de vivre pleinement.

Chapitre 2

Les étapes
vers le burnout

> *Qu'est-ce qu'un «candidat au burnout»?*

On devient un «candidat au burnout» quand on est obsédé par le travail et qu'on n'arrive pas à reprendre le dessus malgré des efforts qui s'étalent sur de longs mois.

> **Se questionner**

Est-ce notre cas? Si oui, attention: voyons immédiatement à réduire nos «chances» d'être élu!

> *Quel est le nombre d'heures de travail à ne pas dépasser si on veut être certain de ne jamais faire de burnout?*

Ce sont notre *obsession des tâches à accomplir* ainsi que *le nombre et l'ampleur de nos symptômes de stress* qui font de nous des candidats au burnout. On augmente certes le risque de s'épuiser si on consacre un grand nombre d'heures au travail, mais il est tout à fait possible de travailler presque tout le temps sans se fatiguer outre mesure et sans être obsédé. Certaines personnes qui travaillent énormément arrivent en effet très bien à s'occuper d'elles-mêmes malgré tout, restent sensibles à leurs signaux d'alarme et les respec-

> **Se questionner**

À quoi voudrions-nous *vraiment* consacrer davantage de temps?

Réaliser

On s'oblige rarement à accorder du temps et de l'énergie à autre chose que des tâches.

tent, ont le sentiment qu'elles profitent pleinement de la vie en travaillant, décrochent totalement du travail dès qu'elles font autre chose, etc. Elles ne sont pas très à risque en ce qui concerne le burnout.

Évidemment, il n'y a que 24 heures dans une journée. On ne peut pas travailler presque tout le temps et avoir une vie amoureuse et familiale satisfaisante. La question est de savoir ce à quoi on veut consacrer notre vie et d'arriver à mener ces projets à bon port avec joie, sans dépasser nos limites, sinon exceptionnellement.

On peut aussi s'épuiser en ne travaillant que 20 heures par semaine. Il suffit d'être en plus débordé par nos études ou par des événements d'ordre familial: par exemple, on visite chaque jour un de nos enfants qui se trouve à l'hôpital depuis de longs mois tout en nous occupant le mieux possible de nos autres enfants, ou on prend soin, jour après jour, d'un parent très malade qui a perdu presque toute autonomie.

Réaliser

Ne pas confondre ici une personne fragile et une personne rendue fragile par la dilapidation de ses forces au travail et à la maison.

Indications de survie

J'accepte de réaliser que mon temps de ressourcement est actuellement presque nul, et je l'augmente dès aujourd'hui.

Finalement, certaines personnes, plus fragiles, s'épuisent à presque rien en comparaison des autres.

Comme pour nos factures, «c'est le total qui compte»! C'est-à-dire, dans le cas présent, c'est la relation entre l'énergie dont on dispose et celle qu'on dépense. Quand on dépense notre énergie sans jamais refaire nos réserves, à un certain moment, on est vidé. C'est simple. On se rend compte de notre état non par le nombre d'heures qu'on passe à travailler, mais par *l'ampleur de notre fatigue et par le nombre et l'intensité des autres symptômes de stress* [6] *qu'on ressent..*

Il ne s'agit donc pas de la comparaison du total de nos heures de travail à ce qui est désormais devenu la norme, mais bien de ce qu'on *ressent.* Attention à la nouvelle norme: elle est de tout faire! On ne finit jamais, si bien qu'on se sent coupable de rentrer chez soi avant d'avoir terminé. Heureusement, on a beaucoup de travail là aussi! Ça aide quand même un peu à se sentir moins coupable...

Le bonheur n'est pas toujours la priorité...

> ## Indications de survie

Je réalise que la norme, c'est désormais «le nombre d'heures nécessaires pour finir». Je fais attention à la culpabilité qui me piège de toutes parts: je me sens coupable de ne pas tout faire et je me sens coupable de ne pas me reposer... Je choisis de concentrer mon attention non pas sur l'accomplissement de mes tâches, mais sur ma culpabilité. C'est *elle* qui fait problème.

> ## L'épuisement professionnel, c'est l'aboutissement d'un processus; comment en arrive-t-on là?

On finit par s'épuiser quand, ayant accumulé une très grande tension, on dépasse un point de non-retour, au-delà duquel rien n'est plus pareil. Ce stress augmente de façon progressive, un peu en dents de scie, avec cependant ses hauts de moins en moins hauts et ses bas de plus en plus bas malgré quelques remontées. Il est toujours occasionné par une combinaison de facteurs, tels que la quantité de tâches à accomplir (au travail, aux études, à la maison), leur complexité, leur urgence, la frustration, l'incertitude, le

---

6 Voir Annexe 2 pour une liste de ces symptômes.

ressentiment, l'anxiété, l'isolement, l'injustice, les changements d'affectation, etc. [7]

L'augmentation de la tension qui mène à l'épuisement nous fait passer par quatre étapes.

1. On est préoccupé

Au début du processus menant éventuellement au burnout, on est **préoccupé** par ce qui se passe au travail, mais «ça reste le travail», et ces préoccupations ne nous suivent pas à la maison: on arrive assez facilement à en «décrocher». C'est une première phase, où on peut même voir le changement comme un défi (on est préoccupé, mais on est aussi stimulé) ou, à tout le moins, comme un problème qui ne nous concerne pas vraiment.

> **Se questionner**

À quelle étape nous situons-nous?

2. On est troublé

Puis, on est **troublé**: les tâches nous paraissent de plus en plus ardues et on commence à ressentir certains symptômes physiques ou psychologiques sur les lieux de travail: fatigue, mal de tête en fin d'après-midi, irritabilité. La tension a alors atteint notre corps et on n'arrive plus souvent à se sentir psychologiquement bien au travail. Mais on a encore la foi, «on va y arriver», ou «ils vont finir par comprendre», et on se sent encore bien la plupart du temps quand on n'est pas au travail.

Peu à peu, au cours de cette deuxième étape, notre trouble va grandir, si bien que le bien-être qu'on ressentait quand on quittait l'usine ou le bureau va disparaître: les

---

7 Voir Annexe I pour une liste des facteurs de stress au travail mentionnés dans cet ouvrage.

maux d'estomac du dimanche soir ou du lundi matin se font de plus en plus présents tous les jours. Le «trouble» nous suit à la maison et on a énormément de mal à se détacher des problèmes qu'on vit au travail: «Il faut absolument que je règle ceci ou cela.» On finit par croire qu'il est «normal» de penser à nos tâches tout le temps.

3. On est obsédé

On arrive ainsi à la troisième étape, celle où on est **obsédé**: on ne pense plus qu'au travail, on croit fermement que le retour du bien-être, qu'on a perdu, *dépend* de ce que nos problèmes de travail se résorbent. En règle générale, on se sent d'autant plus coincé qu'on a aussi accumulé «du retard» à la maison. Assiégé de partout, on sent vraiment que le tapis commence à nous glisser sous les pieds et on cherche encore et encore désespérément les moyens de reprendre le contrôle de la situation, mais toujours par l'extérieur.

Plutôt que de prendre soin de nous et, à tout le moins, de profiter de notre vie personnelle, on sabote cette dernière en se consacrant encore plus à nos tâches. Un peu comme quelqu'un qui est en train de se noyer pense davantage à nager qu'à ménager ses forces, on met toute notre énergie à régler les problèmes. Et si par hasard on se repose, ce n'est que pour mieux pouvoir s'attaquer à notre travail! Peu à peu, on n'arrive même plus à prendre le recul qui nous permettrait de seulement espérer sortir du cercle infernal dans lequel on est engagé, et on perd la foi: notre employeur ne changera pas! D'un côté, ça ne peut pas continuer comme ça; de l'autre, on ne peut pas s'arrêter. Hypnotisé par «on ne sait trop quoi», on continue de se laisser inexorablement emporter vers le précipice, en souhaitant désespérément qu'un miracle puisse se produire avant qu'on n'y soit tombé.

4. On est épuisé

Finalement, on arrive à la quatrième phase, celle où on est incapable d'aller travailler, celle où on n'est plus fonctionnel, celle où on est *épuisé*: c'est l'étape du burnout lui-même. Les étapes 2 et 3 peuvent s'étendre sur quelques semaines, quelques mois ou quelques années, parfois jusqu'à 15 ans.

> À quelle étape perd-on nettement le contrôle de notre vie?

C'est lors de la troisième étape, quand l'obsession nous hante: on n'arrive plus à s'asseoir pour analyser notre vie, en la regardant de l'extérieur; on se retrouve plutôt, malgré soi, le personnage principal d'un film dont le thème central est le travail (avec comme thèmes secondaires tout ce qui s'est gâché à la maison à cause du travail), un film angoissant dont on ne connaît ni ne contrôle le scénario, mais dont on appréhende par-dessus tout le dénouement.

D'une part, on se sent de plus en plus fatigué et débordé par les problèmes qui ne cessent de s'accumuler; d'autre part, on a l'impression d'être de moins en moins compris par nos patrons qui voudraient qu'on en fasse plus, nos collègues qui voudraient qu'on leur pousse moins dans le dos ou qu'on leur fasse moins la morale, notre famille ou nos amis qui voudraient qu'on soit plus disponible pour eux et qu'on leur parle d'autre chose que de tout ce qui va mal au travail. Alors s'insinue sournoisement le sentiment que rien ne peut plus nous sauver, jusqu'à ce qu'on finisse par être certain que tout ça va nécessairement mal se terminer.

Ce désespoir nous projette *plus avant* dans le travail, car on croit, encore et toujours, que le problème est là! Il faut bien comprendre qu'une obsession est un trouble profond, et non pas seulement un petit problème qui se règlerait facilement si on y mettait un peu de bonne volonté.

Beaucoup d'obsédés du travail ont besoin d'aide professionnelle pour renoncer à «livrer la marchandise». Leur raison ne suffit plus à les tirer d'affaire. Ils «comprennent» que leur situation est très grave («Il faut que j'arrête, ça n'a pas de sens!»), mais ils sont complètement paralysés au niveau de l'action («Il faut que je continue, je n'ai pas le choix»). S'ils sont laissés à eux-mêmes, c'est le sentiment de ne pas avoir le choix qui l'emporte le plus souvent; cela les amène à continuer jusqu'au burnout.

> ### Indications de survie

Je réalise que, tant que j'ai besoin d'être compris de mes supérieurs, je suis à leur merci: ils n'ont qu'à ne pas me comprendre et je me sentirai obligé de continuer à faire ce qu'ils me demandent.

Je prends aussi conscience que certains sont assez «intelligents» pour «ne pas comprendre» ce que j'essaie de leur dire. Ils ont un grand talent en ce sens et ils poursuivent leur entraînement de base avec discipline: jour après jour, *ils n'écoutent pas,* car s'ils écoutaient le moindrement, ils se rendraient compte que ça n'a aucun sens d'en demander autant!

J'essaie moins d'être compris que d'être respecté, c'est-à-dire que je me respecte et que je le fais clairement... entendre!

> ### *Pourquoi n'arrive-t-on pas à reprendre le contrôle de notre vie?*

Parce qu'on croit fermement qu'il nous faut absolument terminer ce qu'on pense devoir faire afin de diminuer un tant soit peu l'anxiété qui nous tenaille et retrouver un certain calme.

Indications de survie

Je me réveille, je me secoue, je change de décor, je m'éloigne, je mets fin à mon cauchemar. Dans l'immédiat, la solution que je recherche *n'est pas* dans le retour de mon ultra-performance au travail: elle est dans le relâchement, le ralentissement, le lâcher prise, ma capacité de discerner les choses vraiment importantes pour moi actuellement et de m'y consacrer, ce que je ferai dès que j'aurai pris le repos qui m'est nécessaire: cela constitue la chose fondamentale pour l'instant.

Si je n'arrive pas à prendre l'énorme repos qui m'est nécessaire, si je préfère croire que je me reposerai un peu plus tard, quand j'aurai repris la situation en main, comme je me le dis depuis des mois, alors je conclus que je suis obsédé par mon travail et je demande au plus tôt de l'aide professionnelle pour m'aider à éviter l'épuisement vers lequel, seul, je ne peux m'empêcher d'aller.

À un certain moment, à force d'être chauffée sans pouvoir évacuer de pression, «la marmite saute». Mais il est plus facile de se rendre compte que la marmite va sauter si on se trouve à l'extérieur que si on est dedans. Dans notre corps et dans notre vie psychologique, on sait bien «qu'il fait chaud» et que la pression augmente, mais, curieusement, on a le sentiment que si on travaille encore plus fort, nos efforts vont finir par faire diminuer cette pression et nous permettre enfin de nous «rafraîchir», un peu comme ces obsédés du jeu qui empruntent de l'argent pour «se refaire», pour regagner les sommes plus ou moins faramineuses qu'ils ont perdues.

On s'imagine que, lorsqu'on aura enfin repris le dessus, on sera parfaitement heureux et que tout ira bien. Ça devient donc obsédant, on croit qu'il nous faut absolument venir à bout de nos problèmes, qu'on situe encore et toujours à l'extérieur de nous.

En pratique, cela revient à tenter de faire baisser le feu en augmentant l'agitation dans la marmite de notre système nerveux! Ce qu'il faut faire, c'est au contraire *éloigner* la marmite du feu et utiliser toutes les soupapes possibles, le temps que la pression diminue et qu'on recommence à voir clair.

Or, à l'étape de l'obsession, on se sent déjà très mal quand on se repose! Dans le calme, on ressent beaucoup plus notre fatigue et notre angoisse, si bien qu'on retourne vite au boulot pour fuir cette sensation extrêmement désagréable. Plutôt que d'accepter de ressentir notre angoisse et de nous servir de ce grand malaise pour changer, on préfère ressentir la fébrilité: au moins on y est habitué!

On s'est en effet peu à peu accoutumé à cette immense pression intérieure qui a augmenté doucement, si bien que, même si celle-ci est devenue énorme, on la trouve de plus en plus «normale dans les circonstances actuelles», d'autant qu'on croit encore, à certains moments cependant de plus en plus rares, qu'on va pouvoir reprendre les choses en main. Mais «les circonstances actuelles» durent depuis des mois, et on n'est pas près d'en voir le bout.

On oublie malheureusement la loi selon laquelle il suffit d'une toute petite augmentation de la pression pour faire exploser la marmite. Or, c'est bien ce qui se produit dans la plupart des cas.

> **Indications de survie**

Je réalise que ma solution consistant à travailler *plus* fort me plonge plus profondément dans la détresse. Je la change, je travaille «assez» fort, juste assez pour être satisfait même si tout n'est pas parfait. Ou je quitte temporairement mon poste, je prends des vacances, un congé sans solde, un congé de maladie, etc.

> **Indications de survie**

Je refuse catégoriquement de continuer à m'habituer à la souffrance, d'autant que je commence à prendre conscience qu'une bonne partie de cette souffrance n'est absolument pas nécessaire. Je ne veux plus passer ma vie dans l'esclavage: je réagis!

Réaliser

Ce point est *très* important: quand la tension est très grande, un rien suffit à faire tout basculer.

Indications de survie

Une image vaut mille mots: **«Il ne faut jamais remplir votre autocuiseur plus qu'aux deux tiers.»** **«Réglez la chaleur de façon à ce que le régulateur de pression continue à osciller lentement et régulièrement.»** (Si l'oscillation est trop forte, le liquide s'évapore et tout est fichu, y compris la marmite.) **«Ne laissez pas seul l'autocuiseur à un degré de chaleur élevée.»** **«Assurez-vous que le tuyau d'évent est ouvert avant de fermer le couvercle.»** (Vérifiez aussi que la soupape fonctionne bien.) **«S'il se produit une fuite excessive et continuelle n'importe où sur votre autocuiseur, retirez-le immédiatement du feu, laissez tomber complètement la pression.»** Citations tirées de: *L'autocuiseur Presto: Directives, Recettes, Tableaux de cuisson.*

> *Comment le burnout peut-il à la fois se préparer graduellement et survenir subitement?*

De la même manière que le toit d'un édifice qui a commencé par craquer et plier s'écroule soudainement sous le poids de la neige qui continue de tomber. (Encore une fois, réalisons combien il est avantageux d'enlever la neige *avant* que le toit ne s'écroule.) Même si leurs malaises se sont développés graduellement, les gens en burnout disent souvent que «la marmite a explosé» ou que «les plombs ont sauté» tel jour à telle heure: «Je m'en allais au bureau, comme d'habitude, et là, mardi, à 6 h 45, au coin de Lajeunesse et Jean-Talon, j'ai senti que, malgré toute ma bonne volonté, je ne serais pas capable de me rendre au bureau. J'ai fait demi-tour, et je suis allé voir mon médecin.» Ou bien ils se rendent à l'urgence d'un hôpital avec un pouls à 160 et l'impression qu'ils vont mourir ou devenir fous.

L'abandon des forces *paraît* instantané et incompréhensible, mais il se produit chez des gens qui ressentaient beaucoup de malaises depuis longtemps non seulement lorsqu'ils se trouvaient sur les lieux de leur travail, mais dès qu'ils pensaient au travail; et comme ils y pensaient tout le temps...

Ils ne prenaient pas vraiment garde à ces signaux d'alarme, «ce n'était que de la fatigue». Les symptômes ont fini par persister en dehors des heures de travail, par s'accroître et se multiplier; certains auraient dû être considérés comme de sérieux avertissements, mais finalement, voilà, c'est l'épuisement, c'est le burnout, un phénomène d'un autre ordre que la simple fatigue, un peu comme l'éclatement d'un ballon est différent de son gonflement, bien qu'il en soit le résultat. Quand on est déjà immensément fatigué, on n'a rien d'exceptionnel à faire pour tomber: il suffit d'un seul autre pas, *il suffit du plus ordinaire des pas!*

> **Indications de survie**

Désormais, je prends ma fatigue ainsi que mes autres symptômes en considération. Je réalise à quel point j'ai beaucoup dépensé, à quel point je suis au bout de mes forces; j'accepte de me reposer et de me ressourcer en conséquence.

> *Le burnout est-il toujours lié au travail?*

On pourrait sans doute appeler *burnout* toute forme d'épuisement. Par exemple, on pourrait parler d'un *burnout parental*, ou d'un *burnout scolaire*. Beaucoup de gens accumulent en effet du stress jusqu'à l'épuisement à cause des problèmes qu'ils vivent avec leurs enfants, ou parce qu'ils désirent être des étudiants extrêmement performants.

Le présent ouvrage s'adresse en premier lieu à ceux et celles dont la souffrance provient en bonne partie

> **Réaliser**

C'est la somme *totale* de stress qui fait qu'on s'épuise.

> **Se questionner**

Vivons-nous aussi beaucoup de stress à la maison? Si oui, ce stress serait-il moindre si nous consacrions moins de temps et d'énergie au travail?

87

Se questionner

À quel point le reste de notre vie souffre-t-il de notre excès de zèle au travail?
Et la vie de nos proches?
Comment accepter de faire des choix plus sains?

de leur implication démesurée au travail, et c'est pourquoi il y est surtout question d'épuisement professionnel. Cependant, en réduisant de beaucoup le temps qui pourrait être disponible pour autre chose, l'investissement au travail a presque toujours pour effet d'augmenter le stress à la maison ou encore aux études, lorsque cela s'applique. On voit alors tout comme une corvée, *tout devient de trop.*

Ainsi, quand on est obsédé par notre travail, *tout le reste de notre vie en souffre.*

De plus, l'épuisement est beaucoup lié à certaines *attitudes,* lesquelles nous amènent à nous vider dans *tous* les secteurs de notre vie: par exemple, l'obligation qu'on se crée de bien faire et de tout faire, le fait de ne s'accorder le droit au repos que lorsqu'on a tout terminé ce qu'on s'est imposé, la peur d'être jugé, etc. En ce sens, les candidats à l'épuisement parental ou scolaire trouveront eux aussi dans ce livre des façons de comprendre ce qui leur arrive et des moyens d'y remédier.

En fait, le burnout est l'aboutissement «normal» d'un très haut niveau de stress (professionnel *et* personnel) maintenu très longtemps. C'est un état qui nécessite des soins professionnels.

Chapitre 3

Suis-je en burnout, docteur?

> *Quand ils ne sont plus capables d'aller travailler, les gens qui souffrent d'épuisement consultent-ils un médecin ou un psychologue?*

Ils se rendent le plus souvent chez leur médecin car, au début, la plupart des gens qui se sont vidés de l'énergie dont ils disposaient recherchent surtout le remède miracle qui va leur permettre de reprendre le boulot au plus tôt et de continuer à se démener comme avant, sinon *plus* qu'avant. Dans notre culture, la solution aux maux de tête créés par le stress, c'est... une pilule! Alors, le remède à l'épuisement, c'est aussi une pilule, un granule, une session d'acupuncture ou une plante médicinale. D'ailleurs, «les fois d'avant», ç'avait finalement assez bien réussi. Idéalement, ils souhaiteraient que ce remède aussi fasse disparaître l'angoisse qu'ils ressentent lorsqu'ils sont au repos...

Beaucoup de candidats au burnout attendent cependant longtemps avant de consulter, car ils sont «capables d'en prendre», ne veulent surtout pas «consulter pour rien» et «perdre un après-midi de travail chez le docteur». Ils se présentent donc en consultation

> ### Indications de survie

Je réalise qu'aucun remède ne viendra jamais à bout de ma fatigue et de mes divers symptômes tant et aussi longtemps que je ne changerai rien d'autre dans ma vie. Je me soigne, c'est très important, mais je soigne aussi *ma* vie.

dans un état de grande fatigue et d'irritabilité, souffrant de tensions musculaires, d'insomnies et d'une panoplie d'autres symptômes de stress, lesquels varient selon chaque personne. Ils cherchent un moyen ultra-efficace de retourner dans l'enfer du travail le plus vite possible! Mais un médecin qui en a vu d'autres n'a pas de mal à diagnostiquer des signes avancés d'anxiété et de dépression.

> Le burnout est-il une forme de dépression?

À sa dernière étape, le burnout est le plus souvent une forme de dépression; on peut cependant faire un burnout sans se rendre jusqu'à la dépression, au sens clinique du terme. Il est effectivement tout à fait possible d'être mis hors circuit par une maladie dite «physique», même si cela est moins fréquent. Par exemple, un travailleur social à l'âme missionnaire, que je connais bien, a fait un infarctus bien avant de ressentir des symptômes dépressifs profonds. Il avait beaucoup dépéri durant les deux années précédentes et avait souvent dit qu'il n'en pouvait plus; mais il ne ralentissait que rarement. J'ai aussi vu des personnes qui ont dû arrêter de travailler à cause de graves problèmes digestifs, de migraines récurrentes et quasi interminables, de diabète devenu incontrôlable et même de cancer.

> ## Indications de survie

Depuis combien de temps est-ce que je dis que je n'en peux plus? Désormais, je dis plutôt que «je peux changer», et je m'y mets!

Les signes permettant de diagnostiquer le burnout sont donc plus nombreux que les symptômes d'une maladie classique mais, parmi les facteurs qui y mènent, on retrouve toujours une immense dépense d'énergie sans récupération suffisante.

Les spécialistes parlent parfois d'un «syndrome» d'épuisement professionnel, c'est-à-dire d'un ensemble de symptômes plus ou moins bien défini, plutôt que d'une «maladie»; mais *en pratique*, qu'on opte pour définir le burnout comme un syndrome ou comme une maladie, cela ne change rien à la souffrance et au traitement: on souffre d'une panoplie de maux qui affectent réellement notre corps et on a besoin d'en guérir en se soignant et en changeant des choses dans notre vie.

> **Réaliser**

L'apparition de la majorité des malaises et des maladies est favorisée par un haut niveau de stress.

> *Pourquoi les médecins ne justifient-ils jamais les congés de maladie qu'ils donnent aux personnes en burnout par un diagnostic de «burnout» ou d'«épuisement professionnel»?*

Le diagnostic de «burnout» ou d'«épuisement professionnel» n'existe pas encore dans le grand livre des médecins[8]. Ces derniers utilisent plutôt les diagnostics «dépression majeure situationnelle» ou «trouble de l'adaptation avec humeur dépressive». Si la surcharge du système nerveux ayant mené à l'incapacité de travailler s'est plutôt exprimée par une maladie «physique», l'arrêt de travail sera justifié par cette maladie.

Dans ce dernier cas, il arrive souvent qu'on ne voie pas que la maladie

> **Indications de survie**

Je n'accuse plus seulement les virus et les courants d'air quand je manque d'énergie ou que je suis malade: j'accuse aussi ma «surdité» ou ma «tête dure». Je commence à utiliser bien autrement mon courage, ma détermination et mes autres qualités. Je m'interroge aussi sur mon besoin de pouvoir, d'argent ou de prestige s'ils me mènent à ma perte.

8 L'ouvrage de référence pour les problèmes de santé mentale est le «DSM IV», *Diagnostic and Statistical Manual of Mental Disorders*, qui en est présentement à sa quatrième version.

est le résultat de l'épuisement et, alors, on n'en tient malheureusement pas compte dans le traitement. Les risques de récidive sont alors très grands. En règle générale, donc, l'accroissement du stress engendre à la fois des symptômes physiques et psychologiques, qui augmentent en nombre et en intensité jusqu'au point où on n'est absolument plus capable d'aller travailler.

> ### > Le stress peut conduire à la dépression, mais peut-il vraiment mener à l'infarctus?

Si les cardiologues reçoivent de plus en plus de gens dans la trentaine, ce n'est pas parce que nos gènes ont changé au cours de la dernière décennie! Il ne faut donc pas prendre les maladies liées au stress pour des maladies «imaginaires». La tension psychologique a un impact réel sur le fonctionnement du corps; il n'y a qu'à voir les gens timides rougir pour s'en rendre compte: *l'émotion* qu'ils ressentent crée une *réaction physique*.

Quand on vit longtemps avec une pression psychologique énorme, cette réaction physique est telle que notre corps garde des «hormones de stress» en circulation dans notre sang, et ce, en grande quantité; à leur tour, ces hormones affectent directement le fonctionnement de tout notre organisme, physique et mental, même si la plupart des analyses médicales peuvent ne rien révéler, au début.

Les maladies psychosomatiques sont le résultat de l'action *réelle* que produisent la tension psychologique et les émotions sur le corps. Attendons encore un peu, et cette brûlure d'estomac se transformera en ulcère si on ne diminue pas notre tension. Si les hormones de stress continuent de réduire l'efficacité de notre système immunitaire, on pourra voir apparaître non seulement des grippes, mais aussi des cancers. Il va de soi que, dans ce dernier cas, l'hérédité, les facteurs environnementaux et les produits nocifs jouent aussi un rôle de premier plan.

> Le stress peut-il mener à des maladies aussi graves?

Oui. Ce n'est pas par complaisance que je reviens sans cesse sur la nécessité de ralentir considérablement le rythme si on est déjà très fatigué, qu'on a eu un sérieux avertissement, qu'on souffre de divers maux et qu'on a perdu notre joie de vivre. Les nombreux effets néfastes du stress n'ont pas été imaginés par des charlatans qui voulaient nous faire peur: ils ont été maintes et maintes fois reconnus par des études scientifiques [9]. Et tout médecin sait aussi d'expérience qu'il est rare que les ulcères du tube digestif se développent et persistent à des moments de profonde sérénité; les ulcères apparaissent au contraire le plus souvent à des moments où les patients sont fatigués, anxieux, irritables, où ils souffrent aussi de maux de dos et de tête, où ils dorment mal, etc. Les mécanismes biologiques du stress mènent donc tout autant à de très graves maladies que le tabagisme, une alimentation déficiente ou encore une exposition régulière à des produits toxiques.

De plus, les maladies dites «physiques» et «mentales» sont moins éloignées l'une de l'autre qu'on ne le croit généralement: par exemple, les gens qui sont en dépression risquent beaucoup plus que les autres de faire un infarctus [10].

9 Au sujet du possible impact du stress sur le développement d'un cancer, voir par exemple l'ouvrage du Dr Bernie Siegel, chirurgien: *Messages de vie. Le seul échec, c'est de ne pas vivre tant qu'on est vivant.* Robert Laffont, S.A., Paris, 1991.

10 À ce sujet, voir par exemple: Ford, DE. *et al*: «Depression is a Risk Factor for Coronary Artery Disease in Men: The Precursors Study.» *Archives of Internal Medecine*, 13 juillet 1998, p. 1422-1426.

Et, si on veut aborder le lien entre le stress et la maladie dans une perspective plus positive, sachons que la recherche scientifique a maintes fois démontré que la pratique d'exercices de relaxation ou de méditation a des effets bénéfiques sur *tous* les symptômes qui accompagnent le stress [11]. On sait aussi d'expérience qu'on a moins mal à la tête quand on trouve des solutions à nos problèmes, ce qui est une autre façon de réduire le stress.

Malgré tout, notre société consacre encore plus d'argent à chercher les gènes responsables de la dépression ou la pilule miracle contre le stress qu'à nous aider à nous donner des conditions de vie adéquates et à nous encourager vraiment à vivre décemment [12]. Tant mieux si la recherche réussit à trouver des moyens pharmaceutiques pour réduire la souffrance. *Mais aucune pilule ne nous redonnera jamais une vie saine.* Sur une base individuelle, on doit donc apprendre à s'occuper de soi et à faire de meilleurs choix de vie.

> ### Ressent-on surtout des symptômes physiques ou des symptômes psychologiques quand on est en burnout ou en bonne voie de l'être?

On ressent beaucoup des deux, mais les plus «décisifs» ne sont pas les mêmes pour tous les gens. Même si, le plus souvent, le stress accumulé finit par s'exprimer sous forme de dépression, un fumeur invétéré dont les parents sont tous les deux morts de maladie coronarienne dans la quarantaine pourra avoir des problèmes cardiaques si son degré

---

11   Consulter mon ouvrage: *Relaxer. Des stratégies pour apprivoiser notre stress.* Éd. LOGIQUES, Montréal, 1998.

12   Au sujet de la pilule miracle, voir par exemple l'article de Véronique Robert: «Stress: les dernières découvertes», *Châtelaine,* octobre 1998, p. 90-96.

de stress est trop élevé, et une personne qui a pris beaucoup de poids pourra éprouver de la difficulté à contrôler son diabète si elle est obsédée depuis longtemps par un travail dont elle ne peut venir à bout malgré tous ses efforts.

Il n'empêche que, dans la mesure où on est *très* fatigué depuis longtemps, on peut aussi souffrir de graves problèmes «physiques» sans avoir hérité de gènes nous rendant *très* à risque.

Beaucoup de gens ont aussi développé de bien mauvaises habitudes pour composer avec leur tension intérieure: ils boivent davantage de café ou d'alcool, ils fument, ils mangent davantage de sel, de sucre et de gras, ils sautent des repas, ils réduisent leurs heures de sommeil, ils font moins d'exercice, etc. Tout cela contribue aussi à l'apparition de maladies dites «physiques».

Plus souvent qu'autrement, même si la personne qui s'épuise ressent aussi des douleurs physiques, ce sont cependant des symptômes dépressifs profonds qui l'obligeront à s'arrêter.

> Quels sont les symptômes de la dépression?

Il n'y a pas que les idées suicidaires qui sont signes de dépression. On peut dire que si:

- ○ on est presque toujours fatigué;
- ○ on se sent presque toujours triste;
- ○ on a perdu notre intérêt pour à peu près tout;
- ○ on éprouve de sérieux problèmes de sommeil;

> **Indications de survie**

Si je souffre de plus de quatre ou cinq de ces symptômes, je consulte très rapidement un médecin ou un psychologue pour un avis professionnel sur mon état de santé.

○ on a de sérieux problèmes d'appétit qui s'accompagnent de perte ou de gain de poids corporel;

○ on est continuellement agité ou, au contraire, terriblement au ralenti;

○ on a beaucoup de mal à se concentrer;

○ on se sent excessivement coupable;

○ on a tendance à se dévaloriser outre mesure;

○ la mort nous semble parfois une solution;

si, en plus, on est continuellement et depuis longtemps obsédé par toutes ces tâches qu'on n'arrive jamais à mener à bien, alors on peut conclure que l'épuisement nous a conduits jusqu'à une forme de dépression nerveuse.

Si, sans vraiment être en dépression majeure:

○ on constate que le travail est en train de nous tuer;

○ on est au bout du rouleau;

○ on a des difficultés de concentration ou des problèmes de mémoire;

○ on travaille de plus en plus fort tout en obtenant de moins en moins de résultats;

○ on s'isole;

○ on ne se reconnaît plus;

○ on a connu des moments où on a cru qu'on ne pourrait pas continuer (même si on a ultérieurement été capable de remonter la pente);

○ on a fréquemment des maux «physiques» (tensions musculaires, maux de dos, de tête, tension artérielle à la hausse ou à la baisse, problèmes digestifs, cutanés, respiratoires, menstruels, etc.);

> **Indications de survie**

Si je souffre de trois de ces symptômes ou plus, je consulte rapidement un médecin ou un psychologue.

○ on ressent en plus quelques-uns des symptômes de la dépression mentionnés plus haut,

on peut alors être à peu près certain que, si on ne s'accorde pas immédiatement beaucoup de repos et qu'on ne procède pas à des changements importants dans notre façon d'aborder le travail et la vie, on sera hors circuit dans très peu de temps.

> ### *Les antidépresseurs prescrits par le médecin peuvent-ils venir à bout d'une dépression associée à un burnout?*

Le premier réflexe du médecin est de chercher un bon médicament ou une bonne technique de réadaptation pour faire disparaître les symptômes dont souffrent ses patients. Cependant, dans le cas de l'épuisement, il est aussi fort utile de vérifier pourquoi la maladie s'est développée si on veut prévenir la récidive ou aider la personne malade à cesser d'entretenir la tension intérieure qui engendre ses symptômes.

Pour utiliser une comparaison, disons que personne ne peut réussir à isoler une vieille maison contre le froid en ne faisant que remplacer un carreau de fenêtre brisé: cette réparation aura bien sûr un effet positif mais, en fait, c'est une rénovation en profondeur qu'il faudra entreprendre si on veut arriver à un résultat vraiment satisfaisant et durable. C'est plus coûteux et plus long, mais cela se révèle tellement plus efficace, surtout à long terme.

> ### Indications de survie

J'accepte de «mettre les bœufs devant la charrue»: je réalise que je ne suis pas fatigué parce que je suis malade: *je suis malade parce que je suis fatigué.* Évidemment, je n'avais pas totalement tort: la maladie ne m'aide certes pas à avoir de l'entrain...

97

> Indications de survie

**Je ne me contente plus de faire taire mes symptômes avec des médicaments; je commence *aussi* à diminuer la tension qui les entretient, en changeant des choses dans ma vie pour la rendre plus douce, plus intéressante, pour retrouver un peu d'intimité avec moi-même et ceux que j'aime.
Pour ce faire, j'accorderai beaucoup moins de temps ou d'énergie au travail.**

Dans le cas du burnout, on n'arrivera à rien de vraiment utile si on se contente d'identifier les symptômes particuliers que présente une personne épuisée et qu'on tente de les faire disparaître un à un par des traitements spécifiques. Une personne qui s'épuise a besoin d'une «rénovation en profondeur», si j'ose dire. Elle a besoin de guérir, mais elle a *aussi* besoin de changer ses façons de voir les choses, et d'établir de nouvelles priorités.

Cela dit, on peut aussi s'occuper du «carreau brisé»: les antidépresseurs donnent de bons résultats à court terme (de trois à six mois) chez environ 70 % des gens souffrant d'une première dépression. (Ce succès est cependant à peine plus grand que celui qu'on obtient en prescrivant un placebo, que certaines études situent à 55 % [13].) Mais si on ne s'intéresse qu'aux symptômes du burnout, on risque de prescrire des médicaments qui aideront la personne atteinte à... retourner dans ce qui est pour elle l'enfer du travail et à s'épuiser encore davantage!

> ### *Serait-il donc dangereux de ne traiter que les symptômes du burnout, ou que ses symptômes avant-coureurs?*

Oui, car s'ils veulent guérir, c'est essentiellement pour retourner au travail que la plupart des épuisés cherchent de

---

13 Pour bien saisir l'importance de l'effet placebo dans les résultats obtenus en médecine, voir Benson, Herbert (avec Marg Stark): *Timeless Healing, The Power and Biology of Belief,* Scribner, New York, 1996.

l'aide. Ils ne réalisent pas que c'est beaucoup à cause de cette attitude, qui les amène à tenir bon malgré tout, qu'ils se sont rendus malades. Par exemple, nous avons présentement à la clinique un employé cadre d'une grande entreprise — appelons-le Jean-Claude — qui revient de plus en plus souvent pour des maux qui ne cessent de s'intensifier et de se multiplier. Son médecin lui propose depuis au moins six mois de prendre un congé de maladie de quelques semaines pour permettre à son organisme de reprendre le dessus mais, pour ce candidat au burnout, il n'en est pas question, car il doit assumer, en plus de son travail habituel, celui d'un confrère en congé de maladie... pour épuisement!

> ### Indications de survie

Je réalise que j'accorde davantage d'importance à mes tâches, et particulièrement à mon travail, qu'à ma santé: je commence immédiatement à faire l'inverse.
Et je m'habitue à penser que s'occuper de soi est davantage un choix de vie fondamental... qu'une nouvelle tâche! Je n'en fais pas une nouvelle obsession qui deviendrait ainsi source de culpabilité: j'en fais un choix qui va devenir source de joie de vivre.

La dernière grippe de Jean-Claude l'a cloué au lit pendant trois jours, dont un samedi et un dimanche — heureusement! — et il est retourné travailler le mardi, avec 40 °C de fièvre. Il a quitté la maison avant l'heure de pointe pour ne pas trop se fatiguer inutilement dans les bouchons de circulation... Et puis, ainsi, il a pu profiter d'un peu de paix au bureau, avant que tous ces appels téléphoniques qui l'interrompent sans cesse ne commencent à le déranger; il ne veut pas être empêché de rattraper le retard qu'il a pris en s'absentant durant le week-end et le lundi! Comme beaucoup d'autres avant et après lui, il ne changera probablement que plus tard, quand son corps aura eu raison de sa tête.

> *Comment les professionnels de la santé arrivent-ils à voir au-delà des symptômes que leur présente spontanément le patient épuisé ou en voie de l'être?*

Nous nous intéressons à la fois à la «marmite» et à l'enfer où elle chauffe. Nous regardons d'abord l'ensemble des symptômes et leur intensité, mais nous posons aussi des questions sur l'ampleur des sources de stress au travail et sur les moyens que la personne a déjà utilisés pour tenter de maîtriser la pression qui en découle. Nous nous demandons également si certains troubles graves de la personnalité ou certains problèmes physiques auraient pu influencer le développement des symptômes. Nous nous penchons sur les autres sources de stress — conjugales, familiales ou financières, par exemple — qui pourraient contribuer à augmenter encore davantage la pression que l'individu ressent. Nous identifions les attitudes malsaines, et, finalement, nous faisons avec la personne qui nous consulte une évaluation de son fonctionnement général.

> **Se questionner**
>
> **Notre rendement a-t-il diminué depuis quelques mois?**
> **Devons-nous fournir davantage d'efforts pour maintenir le même rendement qu'avant?**

Quand la confrontation à toutes ses tâches a rendu le candidat au burnout non fonctionnel, nous pouvons conclure à un épuisement et le traduire en un diagnostic qui va satisfaire les compagnies d'assurances. Mais le traitement pourrait commencer bien avant cette phase où l'individu se sent brisé, c'est-à-dire qu'on pourrait prévenir l'épuisement dès les premières étapes, quand le travail est préoccupant ou troublant, ou du moins un peu plus tard, quand il devient obsédant.

> **À partir de ce qui précède, un candidat au burnout pourrait-il réaliser par lui-même qu'il est en voie de s'épuiser?**

Il *pourrait* sans doute le faire, mais je suis loin d'être certain qu'il le *voudrait*! Quand il a la grippe, Jean-Claude affirme qu'elle n'est pas causée par l'affaiblissement de son organisme épuisé par une très grande accumulation de fatigue, mais plutôt par la prolifération des virus. Quand il a mal à la tête, il veut croire que c'est parce qu'il a pris froid. Quand il a mal dans le bas du dos, il cherche quel faux mouvement il a bien pu faire.

Jean-Claude refuse de comprendre que ses nombreux problèmes physiques, la perte de sa joie de vivre, son anxiété, son irritabilité et ce sentiment continuel d'être accablé constituent, *ensemble*, l'expression de sa tension. Il les considère séparément, et, comme la plupart des symptômes du burnout se retrouvent dans beaucoup d'autres maladies, telles que l'hypoglycémie ou la fibromyalgie, il opte pour cette interprétation. Il a d'ailleurs demandé à son médecin de l'envoyer passer des tests pour vérifier s'il souffrait de l'une ou l'autre de ces maladies. Mais il n'en souffre pas, du moins pas encore. D'où la «prescription» d'un congé de maladie. Reste à savoir si Jean-Claude va changer de médecin ou s'il va plutôt changer d'attitude face à la vie et face à son travail...

> **Réaliser**

Connaissons-nous des gens qui ne veulent pas savoir qu'ils sont en train de s'épuiser?

> **Indications de survie**

Si on m'a déjà dit que je paraissais de plus en plus fatigué, comment ai-je réagi? J'ai répondu que c'était «temporaire», j'ai expliqué «pourquoi je n'avais pas le choix», j'ai fait semblant de ne pas comprendre, ou j'ai réalisé ce qui se passait? Maintenant, j'essaie plutôt de dire: «Merci; aidez-moi à sortir de l'enfer, s'il vous plaît», juste pour ressentir l'effet que cela me ferait de prononcer ces mots.

101

Caractéristiques
psychologiques
des candidats au burnout

> *Qu'est-ce qui caractérise, sur le plan des attitudes et des comportements, les personnes qui risquent de se retrouver en burnout?*

La très grande majorité des candidats au burnout croient avoir un problème extérieur de travail, alors qu'ils ont un problème de tension intérieure; celle-ci dépend moins de leur problème de travail que de leur obsession à vouloir le faire disparaître en venant enfin à bout des tâches dont ils acceptent de prendre la responsabilité, ou encore en essayant de convaincre leurs patrons de réduire leurs exigences ou de mettre davantage de ressources à leur disposition, alors que l'expérience leur a montré qu'il était totalement inutile d'insister pour avoir de l'aide.

Quand on veut résoudre des difficultés, il est hautement préférable de choisir des solutions efficaces, sur lesquelles on a de l'influence. Or, le plus souvent, les candidats au burnout tentent d'appliquer des solutions inefficaces (on le sait parce que, même si

> ### Se questionner
>
> **Qu'est-ce qui vous vient en tête quand vous pensez à ce qui réglerait vos problèmes de travail?**
> **Ces solutions dépendent-elles de vous ou d'autres personnes?**
> **Vos solutions actuelles entretiennent-elles les difficultés que vous voulez régler?**

Indications de survie

Je réalise que j'ai non pas un, mais bien deux problèmes: le travail et la santé. Je prends conscience que je pourrais exercer une grande influence sur le *deuxième* problème si je le décidais. Si je choisis au contraire de continuer à ne m'occuper que du travail, je sais maintenant que j'ai malgré tout un très grand impact sur ma santé: mais pas du tout celui que je souhaite avoir!

Il est *grand temps* que je change de priorité.

Je réalise qu'il ne saurait y avoir de «bonnes raisons» pour se détruire jour après jour: c'est absurde! Je recommence à réfléchir vraiment, à me poser les bonnes questions et à y répondre de façon à renaître à la vie, à *ma* vie. Je me donne le droit de vivre.

«dans leur tête» leurs difficultés devraient diminuer, *dans les faits*, elles persistent, et même augmentent) et ils cherchent ces solutions dans des directions où leur propre influence est minime. En identifiant mal leur principal problème, ils se retrouvent donc dans un cercle vicieux: ils augmentent l'ampleur de leurs difficultés en s'efforçant désespérément de les résoudre.

Voici quelques-unes de leurs «solutions» inefficaces ainsi que quelques attitudes qu'ils pourraient avantageusement développer pour les remplacer.

Attitude néfaste numéro 1:

Entretenir l'idée que l'employeur étant le grand responsable du problème, c'est à lui qu'il revient de procéder à des changements dans sa façon de faire.

S'il est probablement vrai que le problème vient en grande partie des changements que l'employeur veut imposer, il est aussi probablement vrai que ce dernier ne changera pas. On a peut-être «raison» de se plaindre et d'essayer de lui faire admettre ses torts, mais, si *on* ne change pas *notre* façon de travailler, tantôt, on aura tout autant «raison» de... faire un burnout!

Plutôt que de continuer de croire que c'est à celui qui a tort qu'il revient de changer, on peut commencer à penser que *celui qui a mal peut toujours initier les changements qui lui seront bénéfiques.* Dans les mêmes conditions de travail, certains s'épuisent alors que d'autres ne le font pas. Tout le mal ne vient donc pas de l'employeur.

Attitude néfaste numéro 2:
Mettre le paquet parce qu'on croit que les changements sont temporaires et que les choses vont bientôt revenir à la normale.

Les gens qui ont «temporairement» quitté la ferme il y a 70 ans, pour gagner un peu d'argent en ville, y sont restés. L'organisation sociale va de transformation en transformation même si, périodiquement, elle semble se stabiliser. *Les choses ne reviendront pas à la normale.* Nous vivons une période de changement, et c'est ce dernier qui constitue la nouvelle «normale»: on veut nous confier une tâche plus lourde et les emplois se font plus rares, plus précaires et moins bien rémunérés que dans la période d'abondance que nous avons vécue dans les années 70. C'est ainsi.

Ou bien on se tue au travail en attendant que la société redevienne «comme avant», ou bien *on* change. On ne change pas pour travailler *plus*: on change pour arriver à conserver notre équilibre physique et mental. La plupart du temps, cela signifie qu'on change pour travailler *moins*, pour travailler *autrement*, pour travailler *avec un nouvel esprit*, pour travailler *à autre chose*, ou *ailleurs*.

> **Inc**

Je m'habitue à pen... *je* peux toujours faire quelque chose d'autre que d'attendre que les autres se décident à changer. *Je* peux choisir *ma* façon de répondre à leurs demandes. *Je* peux choisir d'être responsable de mes choix plutôt que de rester impuissant devant un employeur qui m'empoisonne la vie, remettant ainsi ma santé entre ses mains.

> **Se questionner**

Comment ceux qui ne s'épuisent pas se comportent-ils, comment pensent-ils, que ressentent-ils?

Se questionner

Depuis quelques mois ou quelques années, nous est-il arrivé de prendre la bonne résolution de travailler moins, de ne plus apporter de travail à la maison ou de changer d'emploi parce que cela n'avait plus aucun sens de travailler autant?
Si oui, combien de fois?
Si oui, combien de fois... encore?

Indications de survie

Je réalise qu'il est très difficile de tenir la résolution de nager moins vite quand on croit qu'on est en train de se noyer: j'accepte *d'abord* de sortir de l'eau, je monte sur le bateau. De là, je verrai mieux ce qu'il convient de faire. Ou, à tout le moins, je fais la planche et je me laisse porter un certain temps.

Se questionner

Sommes-nous de ceux qui ont un tel choix à faire?
Si oui, *dans les faits*, avons-nous choisi le retour à l'équilibre ou l'épuisement?

Attitude néfaste numéro 3:
Croire qu'on n'a pas le choix de faire tout ce qu'on fait.

On n'a pas le choix tant qu'on ne se le donne pas! Après un congé de maladie — dont la durée est rarement inférieure à sept ou huit mois — beaucoup de gens reprennent le travail avec des dispositions bien différentes de celles qui les avaient menés à l'épuisement et, avec un peu de vigilance, ils arrivent à garder ces nouvelles attitudes et ces nouveaux comportements: il est donc tout à fait possible de ne pas retomber en burnout. S'il est possible de changer *après* le burnout, c'est tout aussi possible *avant*.

Il est important d'apprendre à déterminer non pas comment arriver à faire tout ce qu'on croit devoir faire, mais plutôt *ce qu'on veut vraiment dans la vie*. Si, alors qu'on ressent les symptômes précurseurs du burnout, on veut malgré tout continuer d'accomplir tout ce qu'on croit devoir faire au travail et à la maison, on va fatalement s'épuiser. Si on veut conserver notre équilibre, il va donc nous falloir changer des choses, peut-être même *beaucoup* de choses. C'est un choix.

> ## Existe-t-il d'autres croyances, désirs et comportements significatifs qui risquent de nous mener au burnout?

Oui. On court notamment de grands risques de faire un burnout si on est trop bien intentionné et si on s'identifie beaucoup à «notre» entreprise ou à «notre» institution. Trop de gens, en effet, se sentent mal quand la compagnie pour laquelle ils travaillent éprouve des difficultés! Ils disent: «*Chez nous*, ça va mal. *Je* n'arrive pas à m'en sortir.» Il est très important *de ne pas* «fusionner» avec la compagnie pour laquelle on travaille. On n'y est pas depuis toujours, on n'y restera pas toujours. Ce n'est pas «notre» compagnie, ni «notre» école. Ce n'est pas «chez nous», et c'est encore moins «nous».

> ### Indications de survie

Si je ne peux pas me résoudre à choisir l'équilibre, il est encore temps de me faire aider à changer d'avis. Mais si mes symptômes sont importants, je dois faire vite!

On risque aussi beaucoup de s'épuiser si on tient absolument à ce que les services de «notre» compagnie soient *totalement* efficaces, à ce que *tous* les patients dont on a la charge soient *toujours* très bien traités, à ce que *tous* «nos» élèves soient sages et réussissent, à ce que les clients ou les citoyens auxquels on répond soient *tous* contents, etc. Bref, si on veut absolument faire notre travail à la perfection et que tout fonctionne bien autour de nous «comme avant». En attendant le moment où «le système va revenir au bon sens» (*attitude néfaste numéro 1*), on continuera alors de se contraindre (*attitude néfaste numéro 3*) à tout faire (*attitude néfaste numéro 2*) pour être à la hauteur d'exigences par ailleurs démesurées.

107

Indications de survie

Je ne suis plus un enfant, mes supérieurs ne sont ni mon père ni ma mère: je cesse d'avoir peur «de me faire chicaner». Je choisis de ne plus voir mon milieu de travail actuel comme une famille ou comme un endroit où je suis «chez moi». Je considère plutôt mon employeur comme un «client» auquel j'offre des «services» moyennant rémunération, et ce, aussi longtemps que nous sommes satisfaits tous les deux. Et, présentement, *je* ne suis pas satisfait. Mon employeur n'aura peut-être pas de mal à réviser le contrat qui nous lie si cela se révèle avantageux pour lui; alors, de mon côté, je me mets dans la tête qu'il est plus facile de changer de client que de famille...

(suite à la page 109)

Ces croyances mènent à d'autres attitudes et comportements dommageables:

— *Continuer de faire des sacrifices;*

Indication de survie > Je fais le moins de sacrifices possible (trois par année, au maximum, idéalement jamais avant le 28 décembre...)

— *Travailler plus fort que les autres;*

> Je développe la charité: je fais ma part, mais je laisse du travail pour les autres... Je fais en sorte que les autres se sentent eux aussi utiles et importants, je me dégage de certaines responsabilités en les leur déléguant.

— *Se montrer serviable;*

> Je me montre responsable, c'est sain, mais sans plus pour le moment.

— *S'inquiéter outre mesure de ce que nos tâches et celles des autres soient exécutées à la perfection;*

> J'accepte d'ajuster la qualité de mon travail à la quantité que je produis et je laisse davantage les autres travailler à leur rythme. S'ils ne me donnent pas à temps ce dont j'ai besoin, j'en profite pour ralentir, quitte à leur expliquer l'effet que leur retard produit sur mon travail, à en parler à mon patron et à lui laisser décider de ce qu'il convient de faire avec ce retard.

— *Accepter des tâches que d'autres refusent sous prétexte que ça n'entre pas dans leur mandat ou dans leurs attributions;*

> Je clarifie mes attributions et je refuse toute tâche qui n'en fait pas partie. J'utilise le modèle des vases communicants quand je considère qu'il serait bon d'accepter de faire une tâche qui ne me revient pas: je clarifie avec mon patron ce que, parmi mes attributions spécifiques, je confierai à d'autres ou laisserai tomber.

Je clarifie aussi ce qu'on attend de moi; il est possible que je donne beaucoup plus que ce qu'on me demande en fait. Attention à mon grand cœur!

— *Ne jamais refuser de rendre service à un collègue ou de faire de petites choses en surplus de notre tâche déjà énorme;*

> Je réalise que, acceptant de donner tranche après tranche, je me suis fait bouffer tout mon salami sans même avoir eu le temps d'en prendre une bouchée: il ne reste plus rien, je me sens vidé de mon énergie. Des millions de petites demandes, ça finit par faire une demande énorme: je réalise que je n'ai presque plus rien à donner, et je recommence à faire mes réserves. *Maintenant*, je dois dire «non», même quand on me demande peu de choses; je redeviendrai généreux *plus tard*, quand j'aurai eu le temps de me reposer et de réfléchir à la question.

— *Se soumettre aux nouvelles normes et exigences tout en protestant, par ailleurs, de façon plus ou moins véhémente, contre leur caractère stupide ou injuste;*

> Je me soumets le moins possible à ce qui me semble idiot (à moins de le faire en riant de bon cœur), et je ne me soumets jamais à ce qui est immoral.

> ▶ **Indications de su**

(suite de la page 108)

Je ne fuis pas *toute* solidarité: je fuis les solidarités *malsaines*. Je ne suis plus solidaire des gens qui font passer «la cause» avant la santé, de ceux qui se fichent de ce que je vis dans la mesure où je leur donne ce qu'ils veulent, et encore moins de ceux qui veulent ma peau, directement ou indirectement. Je redeviens solidaire de ma famille et des autres personnes qui m'aiment, et je redeviens solidaire de cette partie de moi-même qui m'exhorte depuis des mois à prendre soin de moi.

combat acharné pour que cessent l'incohérence et

...ste envers moi-même et envers les autres, mais je ne livre ... à des titans: je réalise qu'ils ne peuvent même pas comprendre ce dont je parle.

Je ne gaspille plus mes forces à mener à bien des projets incohérents. Je communique mes vues, mais je n'essaie plus de ramener coûte que coûte un système de fous à la raison. Je tente plutôt de lâcher prise ou de trouver des façons de tirer profit de la situation.

— *Reporter nos vacances pour terminer un travail apparemment urgent;*

> Je prends mes vacances aux dates déjà fixées, ou même plus rapidement. Si je n'en ai pas prévu, j'en mets à l'agenda pour très bientôt.

— *Se rendre disponible en dehors de nos heures régulières;*

> Je ne dépasse plus mon horaire de travail régulier que très exceptionnellement, et uniquement pour des questions extrêmement importantes pour lesquelles un retard s'avérerait catastrophique, des questions qui ne peuvent absolument pas attendre et que personne d'autre que moi ne pourrait régler.

— *Aller travailler même si on est malade;*

> Je respecte les signaux d'alarme que me donne mon corps, ce fidèle compagnon.

— *Tenir beaucoup à ce que notre valeur soit reconnue par notre employeur, que le patron nous dise qu'on est «correct», qu'on est important pour l'entreprise ou l'institution, et que, sans nous, les choses ne seraient pas tout à fait pareilles.*

> Si mon employeur me considère surtout comme un numéro sur sa liste de paie, je cesse d'attendre de la reconnaissance de sa part. Je ne compte plus sur «la tape dans le dos».

Je cesse de me tuer à faire des choses pour être reconnu par d'éternels insatisfaits. Je travaille plutôt pour ma satisfaction personnelle, et j'établis mes nouveaux critères de satisfaction en tenant compte des circonstances défavorables dans lesquelles j'évolue présentement.

Si mon employeur est resté humain, il appréciera que je veuille renverser la vapeur qui mène tout le monde à l'épuisement.

> Comment de tels désirs, croyances, attitudes et comportements mènent-ils au burnout?

Le monde du travail ne correspond malheureusement plus à l'image un peu idyllique que nous en avons gardée. Rares sont les patrons qui remarquent qu'on est au bout de notre rouleau et qui nous invitent à rentrer chez nous en nous disant que le travail peut attendre.

Aujourd'hui, qu'on soit pâle ou non, des montagnes de dossiers continuent d'être déversées sur notre bureau et notre patron se trouve justifié de nous demander de travailler le soir et la fin de semaine, car «il faut absolument» venir à bout de ces dossiers, toujours plus urgents. Malgré nos «Ah non, pas ça en plus! Il faut qu'il comprenne!», on fait quand même ce qui nous est demandé. Notre dévouement ne nous fait plus sentir que notre employeur est solidaire de nous, qu'il nous protège et qu'il nous aime: notre engagement risque au contraire de nous tuer!

> **Indications de survie**

Je m'engage face à moi-même d'abord.
Je reprends aussi mes engagements envers mes proches, mais je révise certains de ces engagements s'ils sont devenus facteurs d'épuisement.

Le «bon père de famille», qui contrôlait son entreprise ou «son» école, savait ce qui s'y passait et prenait soin de «ses» gens, a cédé la place au super ordinateur et à son dévoué opérateur, bien campés dans leur inaccessible tour d'ivoire: ils y effectuent ensemble des calculs savants en un rien de temps, mais ils ne tiennent pas toujours compte de la réalité. De plus, ils ne se préoccupent jamais des émotions ou des problèmes personnels des «ressources humaines» qu'ils «gèrent», car ces «anomalies» ne sont pas «programmées».

En fait, l'entreprise est devenue une entité sociale abstraite qui réfléchit uniquement à partir de chiffres et de normes. Il est désormais totalement impossible de «parler» à «IWCC International Inc.», ou au «ministère de l'Éducation». En pratique, on parle dans le vide, parce que *«ça» ne peut pas écouter*! À moins qu'on ne soit haut placé et qu'on ne dispose d'un mot de passe et d'un clavier...

On n'est plus membre du «personnel», c'est-à-dire qu'on n'est plus considéré comme une personne ayant des émotions et une vie privée, mais on fait plutôt partie d'une banque de «ressources humaines», l'épithète «humain» n'ayant rien à voir avec des valeurs: il permet simplement à l'ordinateur de différencier ce type de ressources d'un autre type (ressources matérielles ou financières, par exemple). Les «ressources humaines» se retrouvent dans la colonne des «coûts», et non dans celle des «investissements».

Indications de survie

**Je renonce à ce que mon employeur comprenne que je suis une personne.
J'agis comme une personne, mais je ne m'attends plus à être traité comme telle.
Plutôt que de continuer à livrer bataille pour qu'on reconnaisse mes valeurs ou mes idées, j'apprends à utiliser les nouvelles règles du jeu; ainsi, je pourrai mieux traduire mes besoins de façon à ce que le système me laisse la paix. Par exemple, plutôt que d'expliquer pourquoi j'ai besoin d'un congé, j'apprends ce qu'il faut dire pour qu'on me réponde: «accordé».**

On est devenu un *pion* parmi d'autres pions, que l'entreprise déplace au gré des urgences pour satisfaire des besoins «vitaux» dont elle ne prend pas le temps de nous expliquer la nature ou la pertinence. Et elle sacrifiera volontiers ce pion si l'ordinateur annonce que cela peut la placer en meilleure position de gain financier, c'est-à-dire si elle n'en a plus besoin ou si elle réalise qu'elle peut utiliser en lieu et place une «ressource matérielle» dont le coût est moindre.

De plus, le seul résultat tangible qu'on obtient lorsqu'on arrive malgré tout à réaliser l'impossible est que, le lendemain, notre patron nous demande d'en faire un peu plus puisque, finalement, ce qu'on disait hier impossible s'est révélé tout à fait réalisable. Ou bien le siège social de la compagnie ou notre supérieur hiérarchique change d'idée, d'objectif ou de programme, et on est frustré d'avoir travaillé comme un fou pour rien.

Alors, dans ce contexte, si on croit que notre employeur va finir par changer et qu'on n'a pas le choix de mettre le paquet en attendant que des changements appropriés surviennent enfin, sachons au moins qu'on s'en va plutôt vers le burnout que vers la satisfaction personnelle et «le repos bien mérité».

› Réaliser

«On n'arrête pas le progrès.» Le nouveau contexte de travail n'est cependant pas destructeur en lui-même: il ne le devient que si nous l'abordons *avec le même esprit qu'avant.*

› Indications de survie

J'accepte de changer ma façon de voir plutôt que d'essayer de contraindre le monde à redevenir «comme avant». Je réalise que, comme les choses m'échappent en grande partie, *mon désir de contrôle me rend maintenant anxieux.* Et je prends aussi conscience que je tente de remédier à cette anxiété en essayant de tout contrôler! Ma solution *entretient* mon problème, lequel n'est pas que le travail ne soit pas terminé, mais que je m'en rende anxieux, sinon que je m'en angoisse.
Je «travaille» donc mon anxiété!

113

> ### Indications de survie

Je place mon bien-être en priorité. Je me demande, avant toute nouvelle décision, quelle est l'option qui va m'aider à être le mieux dans ma peau, et je reconsidère peu à peu dans ce même esprit tous les choix que j'ai faits jusqu'à maintenant.

> ### Indications de survie

Je fais d'abord le ménage de mes attitudes: cela fera de la place pour du nouveau. Je ne peux plus continuer de penser comme avant sans m'enfoncer plus profondément dans la souffrance.
Je change, j'apprends à voir autrement, à lâcher prise sur ce qui me procurait une certaine sécurité.
Je cherche cette sécurité dans le développement de meilleurs mécanismes d'adaptation, dans une relative certitude quant au fait que, peu importe ce qui arrive, j'aurai la souplesse et la créativité nécessaires pour bien composer avec la situation telle qu'elle se présentera.

> ### Sur le plan psychologique, qu'est-ce qui explique que les candidats au burnout persistent dans ces attitudes et comportements dangereux?

D'un côté, ils vivent dans un contexte de plus en plus difficile, si on le compare à celui qui prévalait il y a 15 ans. De l'autre, ils sont relativement esclaves de leurs idées — ou de leurs peurs — et ils ne placent jamais leur bien-être en tête de liste de leurs priorités. Leur bien-être viendra *après*, quand ils auront rempli leur tâche.

Les candidats au burnout sont portés à voir la solution dans le changement des autres plutôt que dans le leur: «La quantité de travail imposée et les politiques de la maison n'ont aucun sens; je vais m'y soumettre parce que je n'ai pas le choix, mais ils vont finir par comprendre, comptez sur moi! Il faut qu'ils changent d'idée!» Une majorité d'entre eux se montrent plutôt rigides en ce qui concerne *ce* qui «doit» être fait et *comment* ce «doit» l'être; or, dans un monde en mutation, il vaut mieux avoir une *très* grande capacité d'adaptation si on ne veut pas être détruit, une adaptation qui soit faite non pas de résignation, mais bien de *créativité*.

C'est d'ailleurs cette impression d'être brisé et détruit que ressent l'épuisé qui n'a pu s'adapter et s'est finalement fait sortir du «ring» par son médecin. Il est honteux d'avoir perdu la bataille, et la perspective de devoir un jour ou l'autre «réaffronter» ses collègues après une telle «défaite» lui est insupportable.

> *Un manque de flexibilité aug-menterait donc de beaucoup les risques de burnout?*

> **Indications de survie**

Je lâche prise sur quelques éléments non essentiels pour lesquels je dépense présentement une énergie folle; je me demande pourquoi ils me paraissent si nécessaires; bref, je cesse de gaspiller 20 $ d'énergie sur des problèmes qui ne valent pas 10 ¢, et j'ap-prends à respirer. Attention cependant à ne pas céder sur des valeurs comme le respect, l'honnêteté, la loyauté envers qui le mérite, etc.

Plus on est «certain» de ce qu'on devrait faire et de ce que les autres devraient faire, plus on devient un excellent candidat au burnout. On n'arrivera effectivement pas à réaliser tout ce qu'on croit devoir faire, et les autres ne se plieront pas à nos lois: notre tension est donc là pour rester!

Le secret n'est ni dans la résistance, ni dans la soumis-sion: c'est au contraire par de *l'adaptation* qu'on doit répon-dre au changement des règles du jeu qui se produit partout. Si on n'accepte pas d'adapter nos «principes» et nos façons de faire à la nouvelle réalité, notre niveau de stress aug-mentera.

Personne n'arrivera à ramener le monde du travail à ses lois, aux *anciennes* lois, tout comme personne n'a pu arrêter le développement industriel et nous faire revenir à la société

de survie

En ce qu⌐ ⌐cerne le travail des autres, j'essaie de voir si je gagnerais à me mêler un peu plus de mes affaires. Mes conflits interpersonnels occupent beaucoup d'espace dans mes pensées, même quand je suis à la maison. Alors, je fais attention de ne pas les envenimer, sans cependant céder sur l'essentiel. J'explore davantage la stratégie «gagnant-gagnant», celle du «compromis honorable» et celle du «je fais à ma tête, mais ai-je vraiment besoin de le dire?»

Indications de survie

J'admets que j'aurais sans doute intérêt à me montrer plus flexible et à développer ma créativité, mais je n'envisage pas le tout sous l'angle d'ultimatums: je considère plutôt ces changements avec flexibilité et créativité! Par exemple, je vois ces changements comme des invitations que je me lance pour explorer de nouvelles façons d'être heureux.

agraire où chacun avait son lopin de terre et cultivait son potager, tout en soignant son cheval et ses deux vaches pour arriver à nourrir sa famille nombreuse.

On ne changera pas le monde; mais on peut se changer pour faire de nouveaux choix tout aussi «corrects» que ceux qui nous mènent actuellement à nous épuiser. Et si on réalise qu'on est en train d'accumuler beaucoup de stress au travail, on peut changer *avant* de s'être fait briser les os par cet énorme poids qui augmente sans cesse.

Plutôt que de résister avec entêtement, il s'agit de s'assouplir avec créativité. On s'assouplit et on invente de nouvelles stratégies dans notre poste actuel, ou on s'assouplit suffisamment pour le quitter et se créer une nouvelle vie. Dans tous les cas, on s'assouplit assez pour changer de direction: on ne résoudra pas notre problème sans changer de perspective. Le problème n'est pas d'arriver à terminer le travail: *il est de réduire la tension intérieure qu'on ressent.* Ensuite, ou parallèlement, on agira aussi sur nos difficultés extérieures de façon plus stratégique pour mieux retrouver notre équilibre.

> ### Les candidats au burnout seraient ainsi prisonniers de leurs idées?

Oui. Beaucoup pensent: «Je dois me conformer totalement à tout ce qui m'est demandé, même si je sais que ça ne mène nulle part, mais, si on m'écoutait, tout fonctionnerait parfaitement»; ou bien: «Il faut absolument que j'arrive à répondre à mes propres exigences ou à mon besoin de prestige (et que les autres m'aident à y parvenir), même si cela me tue.»

Par exemple, parmi les «meilleurs» candidats au burnout chez les enseignants, on trouve ceux qui appliquent scrupuleusement toutes les réformes et nouvelles directives du ministère de l'Éducation (*attitudes néfastes numéros 2 et 3*), tout en les critiquant vertement (*attitude néfaste numéro 1*). Ils sont les premiers à décrier les changements constants de programme, à soutenir qu'on devrait revenir à l'excellent programme de telle année, mais ce sont également ceux qui s'étonneront le plus du fait que certains de leurs collègues osent déroger au programme imposé.

Curieusement, ces enseignants semblent dire: «Je sais bien que le programme actuel est pourri, que les élèves apprenaient beaucoup mieux avec l'ancien programme, mais de quel droit mes collègues osent-ils désobéir aux normes du ministère?» Beaucoup d'entre eux ont besoin d'un certain respect de l'ordre. Et qui dit ordre dit besoin de con-

> ### Indications de survie

J'agis davantage en conformité avec ce que je pense, mais je cesse de gaspiller de l'énergie à imposer mes idées ou à convaincre les autres que c'est moi qui ai raison. Non pas parce que j'ai tort, mais parce que je sais que j'aurai *tout autant* raison si je cesse de perdre de l'énergie là où je n'ai pas la moindre chance d'arriver à des résultats.

117

> Indications de survie

Je fais davantage attention à mes tendances à «obéir» aux règles et à emprisonner les autres dans des normes. Je réalise mieux qu'un programme sert un objectif et que l'atteinte de cet objectif est plus importante que le respect du programme. Plutôt que de me terroriser avec le programme, je trouve des façons créatives d'atteindre l'objectif fixé.

> Indications de survie

Plutôt que de perdre mon énergie à démontrer que j'ai raison de croire ce que je crois, j'utilise ma créativité pour mieux composer avec ce qui m'apparaît contraignant ou ridicule, de manière à travailler de façon satisfaisante pour moi et à ne plus penser au boulot quand je le quitte. Plutôt que de continuellement penser que je pourrais être bien dans ma peau si la vie ou les autres étaient différents, je m'organise pour être heureux avec ce dont je dispose.

trôle, même quand la façon avec laquelle on applique ce contrôle ne mène nulle part. Ils critiquent les idées, mais ils restent obéissants. Ils essaient de montrer qu'ils ont raison, mais toute cette argumentation les empêche de composer de façon créative avec leur nouvelle réalité.

> *Comment peut-on avoir besoin de se soumettre (et que les autres se soumettent) à des règles, alors qu'on les trouve par ailleurs déraisonnables ou injustes?*

Le désir de contrôle d'un grand nombre de candidats à l'épuisement professionnel leur vient de très loin, de leur inconscient; il est beaucoup plus fort que leur raison. C'est même beaucoup plus qu'un désir: c'est un *besoin*, une obsession. «Il faut» qu'ils fassent ce qui leur est demandé. Ce commandement se présente sous la forme d'une «injonction intérieure», à laquelle ils sont incapables de désobéir, un peu comme ce «quelque chose» en nous qui nous empêche de voler le sac à main d'une vieille dame, de violer un enfant ou de tuer quelqu'un: ça ne se fait pas, c'est immoral et, bien au-delà de tous ces mots, on *ressent* profondément non seulement qu'on n'a pas le droit de le faire, mais qu'on ne *veut* pas le faire et qu'on ne *peut* pas le faire.

Beaucoup de futurs épuisés, eux, sont intimement persuadés qu'ils doivent terminer le travail, que c'est absolument essentiel, que ce serait une honte de se défiler, que «la vie, c'est ça». Ils ne voient pas comment ils pourraient y échapper, ils se sentent obligés d'être «responsables», de faire leur «devoir», même quand ils savent avec leur raison que ça n'a aucun sens.

En fait, ils y voient une panacée, une façon de résoudre tous leurs problèmes: «Si j'y arrive, tout va bien aller; alors *il faut* que j'y arrive, j'ai absolument besoin d'y arriver.»

> ## > Se ques

Arrivons-nous à ... ... sereinement notre investissement d'énergie au travail et ailleurs? Sinon, pourquoi? À quels ordres intérieurs obéissons-nous? Sont-ils basés sur des valeurs profondes ou sur des peurs?

> ## > Indications de survie

Je me donne le droit de ne pas livrer toute la marchandise; quand ce qu'on me demande est démesuré par rapport au temps et à l'énergie dont je dispose, j'accepte de diminuer la qualité de mon travail ou d'utiliser des moyens différents, plus efficaces, pour accomplir la partie que je peux effectuer.

Si l'employeur maintient ses politiques et si ces candidats au burnout ne cherchent pas d'aide professionnelle, il n'y a plus qu'une maladie très grave qui pourra délivrer ces derniers de leur devoir. Ils préféreraient une maladie physique, car il est généralement admis qu'il est nécessaire de prendre congé quand on souffre d'une grave maladie «physique». Il est plus difficile d'admettre et de justifier qu'on

> **Indications de survie**

Si je sens profondément que, malgré toute ma bonne volonté, je ne peux pas échapper à l'accomplissement de mon «devoir» alors que cela engendre une énorme souffrance pour moi et pour mes proches, je cherche de l'aide professionnelle.

> **Indications de survie**

Je n'attends plus de «tomber» malade pour prendre soin de moi. J'affronte immédiatement mes peurs, mes désirs irrationnels, mes principes rigides, enfin tout ce qui me pousse à continuer de me détruire.

doit tout autant s'absenter de son poste quand on fait une dépression nerveuse.

Beaucoup se disent: «Je suis en mesure de venir au bureau du psychologue, je devrais donc être capable de travailler! Je ne suis pas malade! Pourquoi mon médecin m'impose-t-il un congé de maladie?»

Et, si on leur dit: «Vous vous sentez capable d'aller travailler?», ils s'écroulent et se mettent à pleurer en répondant qu'ils en sont absolument incapables. Il est rarement facile de les aider à accepter dès le début de leur congé la convalescence dont ils ont besoin!

> ### D'où viennent donc ces irrésistibles injonctions?

Il est très difficile de vivre sans avoir le sentiment qu'on a de la valeur, qu'on est une personne correcte. On a beau «savoir» dans notre tête que «toute personne humaine a de la valeur», on a besoin de *ressentir* dans notre être que *nous*, on en a. Ce sentiment intérieur commence à se développer dans notre enfance, et beaucoup de gens ont appris à le faire dépendre de leur performance ou de leur obéissance. Pour certains, dire «non» ou renoncer à tout réussir, c'est renoncer à leur propre valeur. D'autres croient qu'ils ne pourront trouver cette valeur que dans le pouvoir ou le prestige.

Il est également difficile de vivre sans être aimé. Pour beaucoup de gens, l'amour n'est pas gratuit: il doit être mérité. Et pour le mériter, ils sentent qu'ils doivent faire ce qui leur est demandé. Beaucoup ont aussi peur d'être «abandonnés» s'ils ne se soumettent pas aux exigences qui leur sont imposées, ou qu'ils s'imposent eux-mêmes.

> **Indications de survie**

Je reprends contact avec ma valeur, telle qu'elle est en moi, et non en ce que je fais. Je lis des ouvrages sur l'estime de soi, ou sur le développement personnel ou spirituel.

S'il est très sain de s'appliquer, il est très malsain de s'obliger à tout réussir pour «mériter» d'être aimé, ou à tout le moins pour éviter d'être rejeté. C'est s'imposer une contrainte très dangereuse par les temps qui courent, une contrainte qui mène à l'épuisement puisqu'il est à peu près impossible d'accomplir adéquatement tout ce qui nous est demandé sans que cette demande n'augmente. Alors, à un moment ou à un autre, fatalement, on n'en pourra plus.

Il y a ici un curieux paradoxe: le candidat au burnout rendu à l'obsession devient l'esclave d'une *idée* selon laquelle il doit réussir quelque chose dont, *en pratique*, la réalisation le fait souffrir, un peu comme un alcoolique a besoin de sa bouteille, comme un obsédé du jeu a besoin de jouer, comme une personne qui souffre de perversion sexuelle ressent parfois très intensément le besoin de se livrer

> **Indications de survie**

Je brise peu à peu le lien que j'ai établi entre ma performance et mon estime de moi-même; j'apprends aussi à me trouver «correct» de prendre soin de moi, de donner un rendement honnête au travail et de m'occuper des miens avec joie plutôt que d'en faire une autre corvée.

à ce qui finit pourtant toujours par la faire souffrir. La plupart du temps, cette hantise de devoir réussir coûte que coûte lui vient d'une décision qu'il a prise il y a longtemps, à la suite de certaines situations où il a vécu du rejet. Il ne veut plus être rejeté, alors il va tout faire pour ne pas l'être, il va même essayer d'être «parfait» ou de tout contrôler pour ne subir aucun reproche. «Je me tue mais, au moins, je sauve l'essentiel: personne n'aura rien à me reprocher, moi non plus.» L'objectif primordial est donc d'éviter le retour d'une certaine forme de souffrance.

Mais il y a aussi une autre idée derrière ce désir de protection. Dans les moments où l'on souffre, on a très souvent tendance à croire que *la disparition de notre mal nous rendrait heureux pour toujours.* Par exemple, quand une migraine nous cloue au lit dans le silence et le noir, on finit par croire que si elle cessait enfin et qu'on nous donnait les moyens de ne plus jamais en souffrir, on serait tellement bien que rien ne pourrait plus jamais ternir notre joie de vivre. C'est évidemment illusoire, mais une personne qui a été encore et encore blessée par le rejet va penser de cette façon: «Si j'arrive à ne plus jamais subir de reproches ou à susciter une continuelle admiration, alors je serai totalement heureux pour toujours».

Paradoxalement, elle se rendra alors malade au travail, à chercher le bonheur total et à éviter la souffrance! Le plus souvent, l'obsession de maintenir la performance, d'accomplir son devoir ou d'augmenter le prestige cache ainsi certaines peurs ou certaines illusions.

> ### Le candidat au burnout serait ainsi un être fragile, malgré qu'il soit un bourreau de travail?

Presque toujours, le candidat à l'épuisement est un être qui *paraît* extérieurement très fort alors que, en réalité, il est intérieurement très fragile et très sensible. L'épuisement le ramène à cette sensibilité, à partir de laquelle on peut l'aider à changer. Il est alors temps de lui dire: «Bienvenue chez les humains... » Accepter d'être humain, c'est déjà faire un très beau premier pas pour l'épuisé. Il en fera un deuxième en acceptant d'être lui-même. Ça, c'est habituellement un peu plus long, tellement il se déteste d'avoir failli à la tâche ou d'avoir cédé aux pressions plutôt que de s'être tenu debout. Mais ça viendra.

> ### Indications de survie

> Je ne garde ma carapace que dans les cas où j'en ai vraiment besoin; je la remplace peu à peu par un «squelette»: je m'appuie sur ma force *intérieure*. Cette force se cache en partie sous les émotions que je refoule: j'accepte de ressentir davantage mes émotions plutôt que de m'épuiser à les refouler.

> ### Le désir de performance de beaucoup de candidats au burnout serait donc surtout lié à leur besoin d'être aimés et de ressentir qu'ils ont de la valeur?

C'est une grande motivation. Ils ont besoin de «performer» pour se sentir valables et «mériter» d'être aimés ou, du moins, admirés; mais le monde du travail étant ce qu'il est, cette nécessité d'être à la hauteur devient une source de souffrance. Donc, de leur point de vue, il n'existe pas de solution. Pour garder bien refoulées les blessures du passé, pour ne pas souffrir *intérieurement*, ils ont besoin de ce qui leur fait maintenant du mal *extérieurement*. Ils ne peuvent pas

Indications de survie

J'apprends à bien faire la distinction entre ces deux niveaux: un objectif et un moyen. Je ne me fais pas un objectif de ce qui n'est qu'un moyen: je ne m'oblige plus à tout réussir pour prouver que je mérite d'être aimé; je cherche plutôt à m'aimer tel que je suis. Je prends aussi conscience que, lorsqu'on s'aime tel qu'on est, on ne s'amuse pas à tout rater: on cherche à bien faire et à se développer, tout en acceptant que le développement s'accompagne nécessairement d'erreurs à l'occasion.

lâcher prise, ils s'attaquent désespérément à la tâche *extérieure*. Ils croient en effet que cette souffrance intérieure, qui est à la limite de leur conscience (elle se manifeste par leurs fréquentes envies de pleurer «pour rien», leur boule dans la gorge ou leurs cauchemars, par exemple), ne va disparaître que s'ils viennent à bout de leur tâche d'employé, d'étudiant, de parent, de conjoint, de citoyen, etc.

Or, c'est précisément là leur plus grande «erreur», si on peut dire. La souffrance ne vient pas de ce qu'ils ne sont pas à la hauteur, mais de ce qu'ils ont irrésistiblement *besoin* de l'être.

Beaucoup sont convaincus de n'être fondamentalement pas corrects, pas dignes d'être aimés, et ils «s'exercent» à se le prouver avec chaque petite chose de la vie: la poussière sous le lit, la présence d'un pissenlit sur la pelouse, leur enfant qui a pris froid (car il leur revenait de le surveiller). Ils interprètent même leurs malaises et leurs émotions comme la preuve qu'ils sont «inadéquats», car ils «devraient» dormir davantage ou manger mieux, et ils ne «devraient» pas se mettre si souvent en colère contre les enfants ni être accablés par le fait de «devoir» les accompagner chez le dentiste. *Tout* devient un enjeu de l'estime de soi. Alors, imaginez ce que signifie pour ces personnes de laisser des dossiers inachevés le vendredi soir! Ça leur est totalement impossible, malgré tous les reproches qu'ils auront une fois de plus à affronter à la maison s'ils allongent encore une fois leur journée de travail jusqu'à tard dans la soirée.

> ## On leur adresse des reproches à la maison et au travail, alors que c'est justement ce qu'ils veulent éviter, les reproches!

Eh oui, ils tournent en rond. Et ils finissent par s'isoler, car ils sentent que personne ne les comprend et ils ont un peu honte d'eux-mêmes. Encore une fois, la solution entretient le problème. Plutôt que de leur donner cette petite tape dans le dos dont ils ont tant besoin, leur patron, au contraire, les *pousse* dans le dos. Alors qu'ils ont «absolument besoin» de certaines choses, quelques-uns de leurs collègues se permettent de prendre, et même de *perdre* leur temps plutôt que de se dépêcher à les leur donner. Ils prennent donc cette tâche en charge tout en faisant la morale à leurs compagnons de travail, ce qui n'incite pas toujours ces derniers à se ranger de leur côté...

À la maison, plutôt que de les soutenir pendant ce «court» moment difficile — qui dure en fait depuis de longs mois — on reproche aux candidats au burnout de ne parler que de leurs problèmes de travail ou de passer leur

> ### Indications de survie

Je prends conscience que la vie continue même quand on n'a pas tout terminé. Je suis exténué, alors je laisse du travail s'accumuler et je me repose ou je me change les idées pendant les week-ends: je reprendrai tout cela lundi, avec un esprit moins fatigué et un peu de recul. J'en profite pour négocier une tâche moins lourde avec mon employeur et sans doute aussi avec... moi-même! Si je n'y arrive pas et que je me reconnais dans le portrait tracé ci-contre, j'accepte de changer de perspective; je m'intéresse de près à mes vieilles blessures et à ma vie intérieure dans son ensemble. Je ne me détruis plus à rester prisonnier d'une tâche, alors que la solution se trouve à l'intérieur de moi. Je me fais aider pour mieux reconnaître et exprimer mes émotions enfouies. Je pourrais même retrouver, ce faisant, un petit enfant qui a encore le goût de jouer...

125

Indications de survie

Je ne pousse plus dans le dos de mes collègues, mais je refuse de faire leur part du travail. Je me méfie particulièrement de ceux qui, par leur agressivité ou leur astuce, arrivent assez bien à faire en sorte que les autres se tapent leur boulot. J'apprends à déjouer cette forme de manipulation en restant tranquille et en remettant ce vieux problème entre les mains de mon patron. Même si tout le monde sait que «untel ne fait pas son travail» et que «le patron ne met pas ses "culottes"», cela ne changera plus rien ni à ma tâche, ni à mon humeur. Ce n'est plus *mon* problème.

vie au bureau (à l'usine, etc.), tout en leur montrant toutes ces tâches qu'ils ont forcément délaissées, et qui les attendent là aussi.

Et puis ils sont fatigués, ils ont du mal à se concentrer, ils dorment peu et mal, ils ont mal à la tête et ils sont irritables. Tout leur semble une montagne, ils se méfient des autres, et ils ne voient bientôt plus le bout du tunnel. Plutôt que de leur prescrire les vitamines qui leur permettraient de reprendre leur tempo d'antan, leur médecin leur dit de ralentir. Leur gentil beau-frère, «qui ne comprend rien», insiste pour qu'ils acceptent une invitation à la campagne, tout en les comparant à l'un de ses collègues absent du travail depuis cinq mois et qui ne semble pas près de revenir. Même le chien semble leur reprocher de ne plus l'amener faire de longues promenades! Et là — comble de l'incompréhension — alors qu'ils croient fermement qu'ils se tuent à répondre aux besoins des autres, ils se font dire: «C'est de ta faute si tu n'en peux plus!»

> *Tous les candidats au burnout éprouvent-ils ce besoin de se soumettre aux désirs ou aux exigences des autres?*

Non, ce n'est pas un besoin aussi intense pour tous. Ce qu'on retrouve cependant chez presque tous les candidats au burnout, c'est ce qui se cache derrière la soumission de beaucoup d'entre eux, à savoir *la vision rigide* de ce qui «doit» être fait, dans laquelle ils s'emprisonnent. Certains ne se soumettent pas, bien au contraire: leur rigidité les amène à se rebeller! Mais, s'étant vidés de toute leur énergie en s'acharnant sans succès à convaincre leur employeur de leur propre vision des choses, tout en continuant à faire leur travail à leur façon, ils finissent par tomber, vaincus. Ils ont combattu les injustices et les directives qu'ils jugeaient stupides ou abusives, ils ont travaillé encore plus fort pour montrer à leur patron qu'ils avaient raison, et cela les a conduits à l'épuisement. Plutôt que de les amener à céder aux exigences des autres, leur rigidité les a poussés à se soumettre aveuglément à leurs propres exigences, qu'ils ont essayé d'imposer à des gens ou à un système qui s'est finalement révélé plus fort qu'eux.

D'autres encore n'ont pas besoin de la résistance d'un patron pour s'épuiser; ils se vident tout simplement à répondre à leurs propres exigences, ou à leur propre désir d'argent ou de gloire, comme c'est souvent le cas chez les travailleurs autonomes qui,

127

⟫ Indications de survie

J'écoute davantage mes proches qui me répètent depuis longtemps que j'ai changé, que je ne suis jamais là, que je suis irritable, que je ne ris plus jamais.
J'accepte de voir la manifestation d'amour qui se cache derrière ces reproches.
Je réalise que ce que je cherche est sans doute beaucoup moins loin que je ne le pensais...
J'écoute aussi mon médecin s'il me dit que je suis stressé et que j'aurais avantage à réduire ma dépense d'énergie.

⟫ Indications de survie

Je prends conscience de ce double message qu'on m'envoie toujours: «Tue-toi à la tâche, mais repose-toi bien.» Et je fais attention à ce même message contradictoire que *je* m'adresse toujours; d'un côté: «Il faut que je finisse», et de l'autre: «Je devrais me reposer»!
J'apprends à voir le repos non pas comme un devoir, mais comme le complément nécessaire à une dépense d'énergie, dans un nouveau *choix de vie* où je dose mieux le temps que j'alloue aux tâches, au repos et au ressourcement.

> **Indications de survie**

Mon «combat» n'est-il pas perdu d'avance? Si oui, j'en prends conscience et je lâche prise dès maintenant. Je me consacre à des projets plus fructueux.

par définition, n'ont pas d'employeur. La rigidité des candidats au burnout peut donc aussi s'appliquer à leur façon d'envisager certains de leurs besoins et d'y répondre, c'est-à-dire *à leurs dépendances*.

> *Sur le plan psychologique, outre ce besoin démesuré d'être aimés et appréciés, les candidats au burnout auraient donc aussi d'autres dépendances?*

Oui, surtout envers l'argent et le devoir. Cela se traduit chez certains par le besoin de conserver ou d'augmenter leur train de vie et leur «sécurité», et chez d'autres par le sentiment *moral* qu'il leur faut accomplir coûte que coûte ce qu'on leur demande. En résumé, on peut donc dire que tous les candidats au burnout sont dépendants, dans le sens où *ils ont tous besoin de quelque chose dont l'obtention ou la conservation les fait par ailleurs souffrir*. Ou encore, ce qui revient au même, on peut dire que les candidats au burnout sont dominés par des peurs: celle de ne plus être aimés et appréciés, celle de manquer d'argent et, finalement, celle de ne pas accomplir convenablement leur devoir.

> *Le burnout serait donc une affaire de dépendance et de peur?*

Ici, on marche sur des œufs. Il existe deux façons d'expliquer les problèmes: ou bien on cherche ce qui va mal, ce qui mène à des solutions, ou bien on cherche qui est fautif, ce qui règle rarement la difficulté à laquelle on est confronté.

D'un point de vue individuel, le burnout est un problème de dépendance, au sens où si on n'avait pas besoin de ce pour quoi on finit par s'épuiser (de l'argent, de l'appréciation des autres, du maintien de l'estime de soi par la performance, du sentiment de toujours faire son devoir jusqu'au bout, de prestige, etc.), on établirait clairement nos limites et on les ferait respecter, ou on quitterait notre emploi: dans un cas comme dans l'autre, on ne s'épuiserait pas.

Par exemple, les infirmières qui ont accepté à temps les offres de préretraite du gouvernement n'ont pas fait de burnout, alors que celles qui sont restées à essayer de maintenir un maximum de services dans des hôpitaux dont le budget est nettement insuffisant et l'organisation chaotique tombent les unes après les autres [14]. On peut toujours dire que ces infirmières sont dépendantes de leur salaire ou de leur dévouement à bien prendre soin des personnes dont elles ont la charge même si les conditions dans lesquelles elles travaillent ne permettent plus d'accorder à chaque patient que des miettes de temps et d'attention.

> **Indications de survie**

Je laisse un peu les coupables de côté et je cherche davantage des solutions vivifiantes à mes difficultés: celles que je vis au travail, mais aussi et surtout celles qui concernent mon état de santé actuel. Je ne m'empêche plus de dormir pour penser encore et encore à la façon dont les coupables devraient payer leurs fautes; cela ne résoudra jamais mon problème, et cela risque même de créer des conflits de personnalité qui vont encore accroître mon niveau de stress. Je fais évidemment attention de ne plus m'acharner sur moi-même, «coupable» de négliger totalement ma santé! J'adopte plutôt des solutions stimulantes pour la retrouver...

---

14 Selon une étude effectuée à l'automne 1997 par des chercheurs de l'Université Laval (Bégin, Jean-François: «Un réseau vidé de son savoir», *La Presse*, 14 novembre 1998, p. A 25), 40 % des infirmières de la région de Québec disent vivre «un état important de détresse psychologique». Cet état, on l'a vu, se situe très près du burnout.

Mais on peut tout aussi bien dire que les compressions budgétaires de l'État ainsi que l'inconscience généralisée qui a marqué la révolution des services de santé sont impliquées dans le processus.

Si on cherche les coupables, on trouvera des «fautifs» différents selon le niveau d'analyse qu'on choisit (psychologique ou sociopolitique). Mais à quoi cela nous mènera-t-il? Par contre, si on se tourne du côté des solutions, on verra que la personne qui s'épuise peut examiner ses dépendances (plutôt que de chercher elle aussi des coupables) et, ensuite, travailler à s'en affranchir. Cela n'exclut pas de travailler collectivement à se donner des conditions de travail plus humaines, cela va de soi.

Cinq types
de candidats au burnout

> *Si les candidats au burnout partagent certaines attitudes, peut-on dire aussi qu'il existe des différences importantes entre eux?*

Oui. On peut distinguer, en fait, cinq types de personnalités qui risquent davantage que les autres de faire un burnout. Ce sont:

1. le grand travailleur;
2. le sauveur;
3. le minutieux;
4. le courageux;
5. l'ambitieux.

> *Qu'est-ce qui caractérise chaque type?*

Le **grand travailleur**, c'est celui qui accepte d'accomplir dans des conditions de plus en plus difficiles une quantité démesurée de tâches qu'il lui serait par ailleurs relativement facile d'exécuter en quantité plus réduite ou dans des conditions plus favorables; c'est «une machine à produire». Un

> **Note**

Soulignez, dans la description des cinq types de candidats au burnout, *tous* les éléments dans lesquels vous vous reconnaissez, peu importe le type auquel ils appartiennent.

> Indications de survie

Plutôt que de me plaindre qu'on m'en demande trop, *j'en fais moins.* **Ça pourrait même aider mon patron à mieux comprendre ce que je lui dis.**

monteur de chapiteau dira: «Le cirque n'en finit plus de grossir; ce soir, la représentation s'est terminée plus tard qu'hier; demain, j'aurai perdu mon assistant et on me donnera encore moins de temps pour monter un chapiteau plus imposant.» Même si, à petite ou moyenne dose, la tâche du grand travailleur se révèle relativement facile à réaliser pour lui, elle devient tout simplement irréalisable au-delà d'une certaine limite.

En pratique, on retrouve ici le camionneur qui finit par accepter de parcourir une distance impressionnante, laquelle continue pourtant de s'accroître chaque jour, la serveuse de restaurant qui accepte un nombre sans cesse grandissant de tables et une semaine de travail de plus en plus longue, ou encore le contrôleur aérien qui entend s'assurer que toujours plus d'avions de toutes sortes vont atterrir sans encombre sur un aéroport sous-équipé devenu trop petit. Sur le plan de la personnalité, le grand travailleur est le type même du «bon gars» ou de la «bonne fille».

Le **sauveur**, c'est *Superwoman* ou *Superman*, le faiseur de miracles, celui ou celle à qui on demande sans cesse l'impossible et qui promet chaque fois de livrer la marchandise: toujours plus haut, plus loin, plus complexe, plus urgent, plus essentiel, plus... impossible! Un jongleur funambule dira: «Chaque jour, la survie du cirque dépend de ce que je continue d'avancer sur un fil de plus en plus long et de plus en plus haut, en jonglant avec toujours plus de balles, de quilles et de torches enflammées.» Ce qui pose problème au sauveur, c'est l'accroissement de la *complexité* de sa tâche, en plus de son augmentation en quantité. Pendant qu'il jongle avec 12 problèmes cruciaux en même temps, on lui en refile un autre, encore plus grave, il va sans dire. Mais c'est aussi son propre désir de grandeur qui le dirige. D'un côté, il voit bien qu'il en a trop sur le dos mais, de l'autre, il n'accepterait jamais qu'on le décharge de quoi que ce soit: il a souvent même besoin d'en prendre davantage!

En pratique, on retrouve dans cette catégorie le cadre qui gère de nombreuses restructurations impopulaires tout en assurant une augmentation constante de la productivité des employés, la secrétaire de direction qui accepte d'accomplir le travail concret d'organisation et de coordination dont son patron a «discuté» longtemps mais par rapport auquel il n'a rien fait, le travailleur de rue qui veut amener tous les jeunes aux prises avec des problèmes de drogue à reprendre une vie plus saine, ou encore le médecin urgentologue qui augmente ses heures de garde alors qu'il doit constamment se tenir au courant des derniers développements dans son domaine, tout en ayant chaque jour un nombre croissant de patients à soigner dans des conditions de plus en plus inadéquates. Sur le plan de la personnalité, le sauveur est celui qui a besoin d'être admiré, et il choisit des défis que nul autre, selon lui, ne pourrait relever mieux que lui.

> ### Indications de survie

Comment arriver à me sauver *aussi* moi-même? Je prends régulièrement du recul pour ne pas me perdre de vue; plutôt que de suivre des cours de gestion du stress lié à «l'exécution de tâches nombreuses et complexes dans un environnement multifactoriel tourbillonnant», je commence par *réduire* le stress: ensuite, et ensuite seulement, je le gérerai. *Je gérerai ce qui restera.* **J'explore aussi l'autre versant de la montagne: j'apprends à vivre heureux avec l'esprit «désencombré». Je pourrais être très heureux à marcher en forêt, à méditer, à planter mes orteils dans le sable, à lire des bandes dessinées, à avoir beaucoup de temps libre devant moi, etc. J'apprends donc à «gérer» la simplicité, et ce, simplement, bien sûr.**

Indications de survie

Je réajuste la qualité de mes productions en tenant compte de leur importance dans l'ensemble du travail. Je tiens aussi mieux compte des circonstances: la quantité de travail urgent, important et prioritaire à accomplir, les ressources dont je dispose, l'échéance que j'accepte de me donner et les inévitables imprévus, la collaboration que je reçois,... le mal de tête que j'ai, le mal de tête que *j'aurai*, etc.

Le **minutieux** croit que chaque petite partie de son travail est essentielle et que sa performance fait la différence. Toujours par analogie au cirque: «En plus d'accomplir mon travail régulier, j'ai mis trois heures à repolir les barreaux de la cage dans laquelle on transporte les lions, mais personne ne l'apprécie; quand reconnaîtra-t-on enfin ma valeur?» Le minutieux s'efforce de tout faire à la perfection, mais il ne situe pas toujours son travail dans un ensemble. Plutôt que de croire à tort que le moindre relâchement de sa part entraînerait des conséquences catastrophiques, il aurait avantage à tenir compte de la portée réelle des gestes qu'il pose, de la valeur de chaque tâche qu'il accomplit: il pourrait alors mieux y ajuster la qualité de son travail.

En pratique, le minutieux, c'est la secrétaire qui finit par être débordée parce qu'elle passe des heures à réviser des virgules dans tous les textes, importants ou non; c'est le professeur qui, pour être apprécié de son directeur d'école, consacre énormément de temps en dehors de ses heures d'enseignement à préparer les expériences imposées par le nouveau programme et se montre de plus disponible pour assurer avec grand soin l'animation de toutes sortes d'activités à l'école; c'est le gérant de quincaillerie qui va rester le soir et tout vérifier encore et encore pour découvrir où a bien pu passer cette bouilloire à 22 $ qui manque à l'inventaire, et ce, afin d'être bien certain que tout sera parfait. Sur le plan de la personnalité, le minutieux est un perfectionniste.

Le **courageux**, c'est celui qui occupe un poste ne lui convenant pas, ou ne lui convenant plus. Il affronte sans cesse des problèmes qu'il se sent incapable d'assumer, ou qu'il ne veut pas (plus) assumer: «Je voulais travailler au cirque, mais non dompter des lions! Chaque jour, je dois rentrer dans la cage, refermer la porte derrière moi et attendre d'en sortir le soir, tout en affrontant à mon corps défendant d'épouvantables dangers dont je ne sais pas me protéger.» Le courageux ne trouve pas (ou ne trouve plus) beaucoup de valorisation dans son travail: il souhaiterait plutôt sortir au plus vite de la cage, mais il ne croit pas être capable de laisser son emploi. Il veut absolument maintenir son niveau de vie, auquel il tient davantage qu'à sa santé. Ce n'est pas tant la quantité de ses tâches qui lui crée un problème que la crainte qu'il éprouve de les affronter.

En pratique, le courageux, c'est la préposée aux plaintes dans une entreprise de services publics qui n'en peut plus de se faire engueuler ou menacer par les clients insatisfaits; c'est la caissière de votre banque qui s'est vu imposer de vendre sous pression des cartes de crédit ou d'autres produits financiers; c'est le professeur de comptabilité à l'Éducation permanente dont le poste a été aboli et qui s'est vu contraint d'enseigner les mathématiques à des adolescents mésadaptés sociaux; c'est le conducteur d'autobus terrorisé qui se demande à chaque arrêt s'il va ou non être violem-

> **Indications de survie**

Je «m'arme» mieux pour faire face à ce dont j'ai peur, ou bien je change de poste, ou encore je quitte mon employeur. Je «travaille» ma dépendance à l'argent [15]: il vaut sans doute mieux perdre du confort que la santé.

---

15 Voir Dominguez, Joe et Robin, Vicki: *Votre vie ou votre argent?*, Éd. LOGIQUES, Montréal, 1997.

135

ment agressé de nouveau, comme cela lui est arrivé à quelques reprises auparavant. Sur le plan de la personnalité, le courageux est souvent une victime.

L'**ambitieux** a un insatiable besoin d'argent, de prestige ou de pouvoir. Il y sacrifie sa vie. «C'est moi qui ai le numéro le plus extraordinaire du monde, et chaque soir je croule sous les "bravos"!» Il se sent menacé par tous ceux qui ont plus d'argent ou de pouvoir que lui, ou qui jouissent davantage de la faveur populaire. Contrairement au sauveur, il pense cependant surtout à lui. Certains ambitieux, «fraudeurs», ne risquent pas beaucoup de faire un burnout et je n'en reparlerai plus dans cet ouvrage. Ceux avec qui ils travaillent courent, par contre, de très grands risques, car c'est à eux qu'incombera de faire tout ce dont ces arrivistes veulent s'enorgueillir ou profiter: ils vont se faire manipuler au maximum.

Mais d'autres ambitieux, «honnêtes» ceux-là, ont vraiment besoin de mériter cet argent, ce pouvoir ou cette admiration qu'ils désirent par-dessus tout. Le monde du travail étant devenu ce qu'il est, les risques qu'ils ne s'épuisent sont extrêmement grands. On les retrouve chez les politiciens, les artistes, les dirigeants d'entreprise, les petits et grands entrepreneurs. Ils ont des personnalités de carriéristes.

> ## Indications de survie

Je cherche rapidement pourquoi j'ai besoin d'être admiré de tous, je renonce à mon faux besoin d'être meilleur que tout le monde. Plutôt que de continuer à me détruire en tentant d'augmenter ma gloire ou ma fortune, je cherche ce qu'il y a derrière mon insatiable besoin de prestige, tout en me donnant et en donnant aux miens une vie saine et heureuse.

> ## L'épuisement professionnel n'est donc pas toujours lié à la quantité de la tâche?

Si la tâche est déjà grande, le fait qu'elle augmente affectera sans nul doute la résistance de tous les candidats au burnout, peu importe leur type. Il y a cependant des gens (non candidats au burnout) qui composent beaucoup mieux avec le surplus de tâche qu'on voudrait leur imposer, comme il y a des gens qui vont s'épuiser même si la quantité de travail qu'on leur demande d'accomplir reste raisonnable: par exemple, contrairement au grand travailleur et au sauveur, le minutieux et le courageux peuvent s'épuiser même avec une tâche «normale». Évidemment, ils s'épuiseront plus vite s'ils acceptent une tâche plus lourde.

> ## Un employé n'est-il pas obligé d'accepter la quantité de tâche que son employeur lui confie?

Pas du tout: il y a ici un «rapport de force». Si on peut évaluer objectivement la «quantité de tâche» qui relève d'un *poste*, on ne peut pas évaluer objectivement la quantité de

> ## In

Je me dor dire «non» dépasser certaines limites, sinon très exceptionnelle-ment. Le travail sera moins bien fait, ou il ne sera pas fait au complet dans le temps prévu: tant mieux, ça me permettra de com-mencer à changer des choses! Il en va de ma santé physique et mentale, et le travail ne sera pas mieux fait quand je serai en burnout. De plus, il n'est pas impossible qu'en tra-vaillant *autrement*, j'arrive à produire tout autant de travail utile avec beaucoup moins de fatigue. Je prends du temps pour réfléchir à de nouvelles façons de travailler.

Je «n'encourage» plus mes collègues à travailler moins en effectuant leurs tâches à leur place ou en m'offrant toujours le premier pour prendre la responsabilité des nouveaux dossiers pour lesquels on réclame un vo-lontaire. Et je me donne le droit de refuser tout autant que les autres les dossiers dont personne ne veut.

tâche que doit accomplir l'*individu* qui occupe ce poste. Par exemple, quand un sauveur, épuisé, doit finalement s'absenter de son poste, il arrive très fréquemment qu'on le remplace par deux, ou même trois personnes. Dans ce cas, c'est manifestement l'individu qui en faisait trop, puisque l'entreprise a recours à plusieurs personnes pour suppléer son absence. Autre exemple: parmi les gens qui ont le même titre d'emploi dans un même service, on observe presque toujours que certains travaillent énormément alors que d'autres donnent beaucoup moins.

Force nous est donc de constater qu'il y a, d'un côté, la grandeur de la tâche confiée par l'employeur et, de l'autre, la proportion de cette tâche que chaque employé accepte d'assumer. Certains employés en font moins que ce qui leur est demandé, d'autres ont besoin d'en faire plus. Placés devant une même quantité de travail «imposée», les premiers s'épuisent beaucoup moins que les seconds, il va sans dire.

> Et que dire de la **qualité** du travail?

On connaît tous des gens qui travaillent peu et mal, tout comme on en connaît d'autres qui travaillent énormément et très bien. Si on place la quantité et la qualité du travail accompli sur le même tableau, on obtient une courbe différente pour chacun des types de candidats au burnout (voir Tableau I).

Qualité du travail

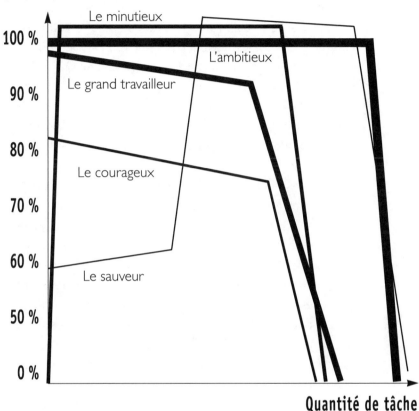

Tableau 1
**Relation entre la qualité et la quantité de la tâche
selon les cinq types de candidats au burnout**

Le **grand travailleur** donne un très bon rendement jusqu'à une quantité de tâche relativement élevée; à partir d'un certain point, cependant, la qualité de son travail diminue rapidement, au fur et à mesure que la tâche augmente et, assez vite, ce «bon gars» ou cette «bonne fille» n'en peut plus.

Le **sauveur** a besoin d'une bonne quantité de tâche pour offrir un travail de qualité; si on ne lui donne que peu à faire, il délaisse ces «futilités» et s'occupe à autre chose. Par contre, quand il a du pain sur la planche, la qualité de son travail augmente rapidement. Cette qualité persiste malgré les premières augmentations de tâche, mais elle se met rapidement à décliner si la quantité de travail reste démesurément élevée trop longtemps, ou si elle dépasse un seuil critique, au-delà duquel tout individu finit par perdre le contrôle.

Le **minutieux** offre une qualité de travail exceptionnelle jusque dans les moindres détails; mais il ne peut pas maintenir cette qualité quand la quantité de sa tâche augmente, et il ne peut pas accepter non plus de travailler moins «bien». Alors, il se sent coincé, car son devoir de perfection l'«oblige» non seulement à faire les choses superbement, mais à les faire *toutes*.

Le **courageux** offre une qualité de travail acceptable quand on ne lui en demande pas trop, mais il s'effondre assez rapidement quand il est davantage confronté à ce qu'il voudrait fuir. Il est d'ailleurs relativement heureux en congé de maladie, car cela lui permet de conserver son emploi sans avoir à affronter ce dont il a peur.

L'**ambitieux** «fraudeur» soigne davantage son image que la qualité de son travail. Il n'apparaît pas sur le tableau. L'ambitieux «honnête» aborde la moindre chose comme étant susceptible de le projeter en avant, si bien qu'il continue d'offrir une qualité exceptionnelle malgré les quantités de travail énormes qu'il s'impose, jusqu'à ce que, éventuellement, il s'épuise.

Pour chacun des cinq types de candidats, la prévention du burnout — ou de la récidive — implique ou bien une diminution de la quantité de travail (imposée ou acceptée), ou bien un meilleur réajustement de la qualité du travail produit en fonction de sa quantité. L'entreprise et l'employé peuvent participer à cette redéfinition, ensemble ou chacun de leur côté.

Dans certains cas, cependant, la négociation de la quantité de la tâche peut être extrêmement ardue et devenir un poids supplémentaire, lequel vient s'ajouter au fardeau déjà trop lourd que portent les employés: en effet, le plus souvent, les personnes en burnout se plaignent de ce que, malgré toute l'énergie qu'elles ont déployée pour convaincre leurs patrons de changer des choses, ceux-ci n'ont rien voulu comprendre. D'où l'utilité d'apprendre à expliquer un peu moins et à agir un peu plus. Ou à expliquer par l'action, en laissant le travail s'accumuler, ce qui conduit souvent le patron à se retrouver devant de nouvelles priorités: exactement celles dont on lui parle depuis des mois!

Ce dosage semble simple à réali-

> **Indications de survie**

Je négocie une tâche beaucoup moins lourde avec mon supérieur. S'il ne veut rien entendre, je dis non, unilatéralement, à ce qui dépasse une limite acceptable. Ou je dis «oui, oui», et je fais quand même à ma tête: je trouverai des excuses plus tard. Mon patron comprendra peut-être mieux ce que je voulais lui dire quand il sera placé devant le fait accompli. Je réalise aussi que le fait de dire qu'il m'est impossible de faire tout ce qu'on me demande tout en le faisant constitue un mensonge: pourquoi alors mon patron me croirait-il? Si je ne peux pas accepter que mon travail ne soit pas parfait, je m'interroge profondément sur les raisons intérieures qui m'obligent à rester parfait en toutes choses. *Je commence à aborder mes peurs.*

ser, mais *les candidats au burnout ont malheureusement toutes sortes de bonnes raisons de continuer à se détruire.* Si ce n'était pas le cas, ils prendraient tout naturellement soin d'eux-mêmes, et on ne les retrouverait pas dans nos bureaux. La plupart auront du mal à réaliser ce réajustement de la qua-

> Indications de survie

Je passe en revue tous mes secteurs d'activité et j'investis davantage dans ma santé, mes relations avec mes proches et mes amis, mes loisirs, etc., et je réduis l'énergie que je dépense dans le travail et les autres tâches que je me donne.
Je prends mieux conscience de mes attitudes.
Je devine en effet qu'en ce monde d'aujourd'hui, il ne saurait y avoir de repos pour qui ne voit que les choses à faire...

lité du travail en fonction de sa quantité avant d'avoir reconnu et abordé les raisons profondes qui expliquent leur esclavage, et avant qu'ils ne les aient abandonnées au profit de raisons de vivre plus saines. Nous y reviendrons.

De plus, on fait tous face à une «tâche» à la maison et, éventuellement, aux études; il vaut mieux tenir compte de l'ensemble de ce à quoi on s'est engagé lorsqu'on ajuste la quantité/qualité de notre tâche de travail. On parle d'épuisement professionnel, mais ce n'est pas le «professionnel» qui s'épuise: c'est la personne!

> Ne risque-t-on pas d'être sévèrement critiqué et d'avoir de mauvaises évaluations si la qualité de notre travail diminue?

Peut-être. Par contre, un entraîneur d'une équipe de hockey comprend habituellement que son gardien alloue davantage de buts dans les matchs qu'il dispute contre les meilleures équipes de la ligue. La qualité des résultats dépend toujours des circonstances, et il est en conséquence absurde de penser à la qualité de la tâche sans se référer explicitement à la quantité de travail accompli et aux conditions dans lesquelles il est effectué.

> Indications de survie

Je prends le temps de ré-flé-chir, de faire ou de refaire la liste de mes priorités; je cesse de laisser mon bonheur dépendre du fait que j'accomplisse parfaitement ce qu'on m'impose ou ce que j'aurais tendance à m'imposer.

Encore une fois, il vaut mieux clarifier les choses avec notre patron que d'attendre qu'il se rende compte qu'il nous confie une mission impossible. Parfois, ce faisant, on réalisera que c'est nous qui voulons lui imposer notre perfectionnisme, alors qu'il souhaite plutôt qu'on mette l'accent sur la quantité, tout en nous permettant volontiers, et parfois même en nous recommandant, un léger laisser-aller dans la qualité de notre production. Ou bien, on prendra conscience qu'on perd un temps fou à s'occuper de choses qui ne nous regardent pas vraiment, à faire le travail des autres, bref, on réalisera qu'on pourrait passer beaucoup plus de temps à faire avancer *nos* priorités.

On peut aussi utiliser «nos» moyens d'assurer une bonne qualité de travail, ou en explorer de nouveaux. Par exemple, un professeur enseignera beaucoup mieux s'il utilise ce qu'il connaît déjà et garde sa bonne humeur que s'il arrive dans sa classe accablé, tendu et fatigué d'avoir préparé à la perfection le programme imposé. Les élèves ont plus de facilité à écouter leur professeur s'il est énergique et a le goût de leur enseigner des choses que s'il a le visage tiré et préférerait être n'importe où plutôt qu'en classe. Et puis, au niveau du contenu de l'enseignement, les enfants n'en demandent pas tant, et ils n'ont pas vraiment besoin de tout ce que le programme veut leur mettre dans la tête!

> **Indications de survie**

Je réalise encore une fois que mon problème de productivité est beaucoup lié à mon problème de santé et à mes attitudes, et non uniquement à la quantité des tâches qu'on m'impose: depuis quelque temps, plus je travaille, moins je travaille bien! La solution d'en faire davantage a pour conséquence que je tourne en rond et que je m'enfonce dans mon problème. Je change donc ma façon de voir et je me redonne la santé nécessaire pour bien travailler et profiter de la vie.

Finalement, si notre employeur se montre de fait injuste, il vaut mieux réaliser dès maintenant qu'il ne nous servira jamais à rien de nous tuer à la tâche pour rétablir la justice: c'est peine perdue. On peut donc assez facilement réviser notre compulsion à livrer la «qualité totale» et voir comment on pourrait offrir une qualité honnête qui tiendrait mieux compte de la réalité de nos conditions de travail.

> ### Comment peut-on aborder la difficulté de maintenir la qualité de notre travail?

> **Indications de survie**

J'apprends à lâcher prise sur ce que j'essaie d'imposer à mon employeur, ou sur ce que je m'impose pour être à la hauteur de ce qu'il me demande. Mon problème, c'est *ma* fatigue, *mon* irritabilité, *mon* anxiété, *mes* sentiments dépressifs, *mon* insomnie, *mon* obsession, *mon* manque chronique de ressourcement et de temps pour vivre. *Je m'en occupe.* Je n'aurai jamais d'autre temps que celui que je me donne, à l'exception de celui que mon médecin va m'obliger à prendre, si je continue: et ce ne sera pas du temps très passionnant.
Je mérite mieux que cela.

La question qui se pose est moins: «Comment maintenir la même qualité?» que «Que signifie "accomplir un travail de qualité", dans le poste que j'occupe, *maintenant*?» Si on a 40 patients à voir dans un après-midi, ça nous donne au maximum six minutes avec chacun. La profondeur du travail effectué auprès de chaque patient sera certes moins grande que si on en avait vu une vingtaine, et les patients pourront s'en plaindre; mais si on se contente d'en voir 20, on ne fera pas non plus que des heureux. L'augmentation de notre charge de travail nous oblige donc à redéfinir ce que signifie désormais le mot «qualité» lorsqu'il s'applique à notre travail. Cette définition ne saurait être ce qu'elle était quand on avait le temps de tout faire et de bien le faire.

La quantité de notre production affecte donc sa qualité. Mais ce n'est pas le seul facteur qui joue, car peu importe qu'on soit de l'un ou l'autre type des candidats au burnout, la qualité de notre travail diminue aussi nécessairement quand notre état de stress et de fatigue dépasse un certain seuil; il vaut mieux commencer par se déstresser et se reposer, de façon à arriver à mieux vivre et à mieux travailler, que de se stresser *davantage* à tenter de maintenir la qualité de notre travail coûte que coûte!

Il est devenu impossible à une majorité de gens de continuer à travailler avec les mêmes «standards» qu'avant sans accumuler une énorme fatigue qui se transformera en épuisement s'ils ne changent pas leur façon d'envisager leur rôle. Même si on voudrait bien qu'il en soit autrement, c'est la réalité.

Quand on finit par comprendre que notre problème est moins la baisse de la qualité de notre travail que l'augmentation de notre tension, il devient *absurde* d'essayer de diminuer notre tension en travaillant comme des fous, car cela l'amplifie! Apprenons à faire au mieux plutôt que de nous acharner à vouloir tout faire parfaitement, et consacrons aussi du temps à autre chose que le travail, de façon à tirer aussi d'autres satisfactions de la vie.

> ### Les candidats au burnout appartiennent-ils nettement à l'un ou à l'autre des cinq types de personnalités décrites précédemment?

Plutôt que d'accoler une nouvelle étiquette aux gens et de les culpabiliser, je voudrais ici les aider à comprendre qu'une partie de leurs difficultés relève de leur façon de voir

> Indications de survie

Je cesse de vouloir sauver ceux qui, plutôt que de se prendre en main, préfèrent se laisser couler et m'en tenir responsable.

les choses, laquelle risque fort de les garder en déséquilibre et de les mener au burnout s'ils sont obsédés par leur travail. On ne trouvera jamais un être en chair et en os qui corresponde parfaitement et uniquement au type pur du «sauveur» ou à tout autre type pur.

Il faut comprendre ici que beaucoup de gens ont de fortes tendances à *penser* et à *se comporter* comme des sauveurs ou des minutieux, par exemple. Mais ils ne *sont* pas des sauveurs ou des minutieux.

Il peut aussi arriver qu'un candidat au burnout passe d'un type à un autre en cours de route. Par exemple, un professeur qui veut «sauver» son école de ce qu'il considère

> Réaliser

La transformation d'un «grand travailleur» en «courageux» est extrêmement fréquente.
Elle commence par une transformation du plaisir de travailler en un accablement, lequel est dû non pas tant au travail lui-même qu'à la quantité de tâches qu'on accepte de se mettre sur le dos et à la qualité qu'on s'oblige à maintenir. Beaucoup de gens au bord de l'épuisement me disent: «Pourtant, j'aime mon travail.», alors qu'ils détestent... aller travailler!

comme des aberrations engendrées par les diminutions de budget peut se dévouer corps et âme pour ses élèves, se battre afin de faire modifier le programme, affronter les commissaires, la direction, ses collègues enseignants et non enseignants. Il se dévouera aussi pour convaincre les élèves eux-mêmes, lesquels ne veulent pas toujours être sauvés (surtout quand ça implique qu'ils doivent travailler plus fort...).

Alors, éventuellement, notre professeur perdra peu à peu ses forces et son idéal, il s'isolera, et il finira par avoir de plus en plus de mal à faire face à tous ces gens: le sauveur sera devenu un courageux.

Un camionneur «grand travailleur» dont la tâche est devenue monstrueuse peut cesser d'être le bon gars qui dit toujours «oui» sans rechigner, mais continuer par ailleurs à faire tout ce qui lui est demandé, cette fois comme un courageux. Par exemple, il aura très peur d'être responsable d'accidents à cause de la vitesse d'exécution qu'il se croit obligé de maintenir malgré sa fatigue, tout en entretenant

> **Indications de survie**

Je mets ma montre à l'heure: je cesse de croire que j'aime mon travail. Je réalise que je l'*aimais*, quand je n'y passais pas ma vie. Je choisis de consacrer beaucoup moins d'heures à travailler: je retrouverai davantage de plaisir à le faire.

la crainte de perdre son emploi s'il ralentit la cadence.

Remplaçant sa supérieure immédiate pendant son congé de maladie pour épuisement, l'infirmière minutieuse qui se retrouve devant une foule de dossiers importants peut apprendre à vivre dans un monde où tout n'est pas parfait et se consacrer plutôt à «sauver» le département, puisqu'on lui fait confiance et qu'on le lui demande. On a aussi vu que, confronté à une tâche routinière, le sauveur n'est plus du tout sauveur: il tourne en rond. Chaque individu est donc plus ou moins sauveur, courageux, grand travailleur, ambitieux ou minutieux, et l'importance de ces traits chez lui peut varier selon l'état de ses forces et la situation.

> ### Il y aurait donc d'un côté la personnalité, et de l'autre les circonstances?

Oui, et il reste toujours possible de changer, du moins suffisamment pour diminuer à presque rien les risques d'épuisement. Les traits de personnalité dont nous parlons peuvent être relativement superficiels ou être ancrés très profondément, mais ils ne sont pas innés. Par exemple, certaines personnes, pourtant minutieuses quand tout est normal, vont accepter assez facilement de moins bien faire quand la tâche est grande; d'autres n'y consentiront que lorsqu'elles seront très fatiguées, et d'autres encore, très rares, ne pourront jamais s'y résoudre. Pour ces dernières, c'est comme si la minutie faisait partie de leur identité. Elles ont l'impression qu'elles deviendraient une autre personne si tout ce qu'elles font n'était pas parfait.

Elles vivent donc une très grande angoisse quand elles ne peuvent plus accomplir leur tâche aussi bien qu'elles le voudraient. *Il leur sera plus profitable d'aborder cette angoisse en s'interrogeant sur leur besoin d'être parfaites que sur les moyens de le demeurer.*

Pour d'autres, l'incapacité de dire «non» est liée à des valeurs. Se retrouvant le seul à pouvoir faire le travail dans un hôpital en région éloignée, un anesthésiste pourra avoir du mal à prendre congé pour se reposer. Ou un cadre d'entreprise, croyant avoir la responsabilité de conserver les emplois à statut précaire de ses subalternes, pourra trouver difficile de proposer un ralentissement de la cadence et un report marqué de l'échéance à son supérieur s'il craint que ce dernier n'ait recours à la sous-traitance.

> ## Indications de survie

Je serais peut-être mieux dans ma peau si j'étais cette autre personne. Et si cette autre personne, c'était en fait... moi-même? Ai-je peur de devenir moi-même? J'apprends à connaître la personne qui se cache derrière mes peurs.

> ## Indications de survie

Je réalise que l'épuisement n'épargne pas davantage les «bons» que les «méchants». Je ralentis et je me ressource; je me donne ainsi une chance de mieux aider les autres, plus longtemps.

148

Pour d'autres encore, le refus d'abdiquer malgré la souffrance est lié à des peurs: celles de perdre leur emploi ou l'estime des autres, par exemple.

La question est donc moins de savoir si on est «sauveur» ou non que de déterminer à partir de quand on décidera de dire «non», et quelle partie de nos tâches on laissera tomber, on déléguera, on reportera, on accomplira autrement, etc. Ainsi, on pourra commencer à prendre soin de nous, ce qui nous permettra de continuer à bien assumer ce qu'on peut faire tout en restant énergique. Nos résistances à prendre ce virage seront cependant d'autant plus grandes que ce dernier menacera notre identité ou nos valeurs.

Si on résiste à mettre de l'avant les changements nécessaires pour retrouver notre santé et notre joie de vivre, s'il nous faut sans cesse reprendre les mêmes «bonnes résolutions», il est très important de s'interroger plus à fond sur ces résistances.

Par ailleurs, si on persiste à vouloir tout faire alors qu'on est obsédé par le travail, on risque fort de s'épuiser et on ne pourra alors plus rien faire avant quelques mois. Cela menace tout autant notre identité ou nos valeurs...

> ## Indications de survie

Je réalise que si j'ai souvent pris la bonne résolution de travailler moins, je n'ai pas fini de la reprendre. J'accepte d'aborder mes résistances intérieures à changer: je consens à mieux voir les pertes que les changements qui se révèlent nécessaires à ma santé impliqueraient, et je me donne le droit d'accepter les «cadeaux» qui découleraient de ces changements.

> ## Indications de survie

Je prends conscience que l'enfer possède deux portes et qu'il a ceci de particulier qu'on ne peut pas en sortir par la porte d'entrée. Je renonce donc à chercher l'issue dans ce qui m'a amené en enfer et m'y tient encore prisonnier. *Je choisis de prendre l'autre porte!* Je travaille non pas *plus*, mais *moins*.

> **Peut-on associer une forme particulière de dépendance à chacun des cinq types de candidats au burnout?**

Non. Quel que soit leur type, certaines personnes croient qu'elles ont absolument besoin de tout l'argent qu'elles gagnent — et même d'un peu plus — d'autres ont terriblement besoin d'être appréciées, d'autres encore ne peuvent dormir tranquilles que lorsqu'elles se sont parfaitement acquittées de leur «devoir». Tout candidat au burnout peut cependant entretenir plus ou moins chacune de ces trois formes de dépendance, si bien qu'au total, un sauveur-minutieux qui croit toujours manquer d'argent tout en ayant un grand besoin de faire son devoir et d'être apprécié de tous est beaucoup plus à risque, il va sans dire, qu'un courageux qui se sait millionnaire et possède une bonne estime de lui-même.

Cela dit, le courageux entretient habituellement une grande dépendance financière; le minutieux, le grand travailleur et le sauveur ont besoin d'être aimés ou, à tout le moins, appréciés, et c'est ce qui explique en partie qu'ils éprouvent également le besoin impérieux de faire leur devoir. L'ambitieux, lui, ressent un irrésistible besoin de prestige ou d'argent. Ce qui ne signifie pas que le courageux n'a pas besoin d'être aimé, ni que le grand travailleur n'a pas besoin d'argent, évidemment.

Attitudes et comportements
qui augmentent les risques de burnout

> ➤ *Existe-t-il d'autres attitudes ou comportements qui pourraient faire de nous des candidats au burnout?*

D'abord, résumons-nous. Bon nombre de candidats au burnout cherchent à tort la solution à leurs difficultés à l'extérieur d'eux-mêmes, c'est-à-dire dans la résolution complète de leurs problèmes de travail. La plupart d'entre eux ont développé trois attitudes néfastes, à savoir attendre que le coupable (l'employeur, le système, certains collègues, etc.) change, penser que le surplus de travail n'est que temporaire, et croire que, de toute façon, ils n'ont pas le choix d'être ou non à la hauteur de ce qu'ils croient devoir faire. Ils entretiennent des dépendances d'ordre financier ou affectif, ils sont esclaves du «devoir accompli» ou de leur besoin de gloire. Ils ont aussi besoin d'être appréciés par ceux-là mêmes qui les mettent sous pression et ils sont extrêmement blessés par tout reproche qui pourrait leur être adressé. Ce sont plus ou moins des «bons gars» et des «bonnes filles», des *supermen* et des *superwomen*, des perfectionnistes, des carriéristes que rien n'arrête ou bien encore des courageux qui continuent malgré leurs peurs.

Ils sont souvent bien intentionnés et bien identifiés à leur employeur (contre lequel ils peuvent cependant être en perpétuelle rébellion), et ils considèrent tout ce qui concerne le travail de façon plutôt rigide. Finalement, ils ont gardé une conception du travail qui permettait d'y être heureux il y a 15 ans mais qui, maintenant, les mène à leur perte.

Ils courent donc de grands risques dans un monde qui les considère comme de simples «ressources humaines».

Si on présente quelques-uns de ces traits ou qu'on entretient ces dépendances, on est donc à risque de burnout. Si, en outre, on a certains des autres comportements ou attitudes qui suivent, nos risques augmentent encore plus:

> **Note**

Cochez les attitudes et comportements dans lesquels vous vous reconnaissez et regardez de près les recommandations de changement qui les accompagnent.

○ *On cumule de nombreux secteurs d'activité en même temps: deux emplois, une famille, des études, etc.*

Indications de survie > Je réduis mes heures de travail et/ou j'abandonne un de mes emplois ou mes études, du moins temporairement; je me donne le droit de refaire mes choix.

○ *On ne respecte pas nos signaux d'alarme.*

> Je réduis mon niveau de stress jusqu'à ce que tous mes signaux d'alarme se soient tus pendant plusieurs mois. Ensuite, j'apprends à les respecter s'ils reviennent.

○ *On croit que le repos «se mérite», qu'il vient «après», quand on a fini de tout faire.*

> Je recommence à considérer le repos et le ressourcement comme des façons de refaire mes forces, et non comme des récompenses que je dois mériter en terminant tout ce que je crois devoir faire. Je me repose et me ressource suffisamment pour «regagner la permission» de me fatiguer un peu.

○ *On se considère soi-même davantage comme une ressource que comme une personne, c'est-à-dire qu'on sabote continuellement notre vie en la mettant aveuglément au service de ce qu'on se croit obligé de faire, surtout au travail, mais aussi à la maison.*

❯ Je cesse de me détruire et de saboter ma vie. Je ne suis ni un marteau, ni une machine, ni un ordinateur, ni un camion! J'utilise les forces qui me restent pour me reconstruire.

○ *On laisse notre estime de nous-même dépendre de notre performance.*

❯ Plutôt que de continuer à m'aimer «tel que je "performe"», j'apprends à m'aimer tel que je suis, c'est-à-dire avec mes qualités et mes défauts... dont ceux qui me mènent présentement au burnout! Mais j'utilise désormais mes forces personnelles pour me reprendre en main.

○ *On voit la vie comme une corvée: on fait tout ce qu'on fait parce qu'il le faut, même dormir, manger et se faire plaisir, même prendre soin de soi!*

❯ Je me donne ce temps libre qui permet de retrouver la joie, l'humour, le plaisir du quotidien. Tout ça existe encore, et je réalise que *c'est moi qui m'en prive*. Si je choisis d'avoir du temps devant moi, la vie ne sera plus une corvée. *Je peux* faire ce choix.

○ *On reste le nez collé à ce qu'on croit devoir faire, on ne prend jamais de recul.*

❯ Sur mon lit de mort, j'aurai moins de regrets de ne pas avoir assez travaillé le samedi et le dimanche que de ne pas avoir suffisamment accordé de temps à ceux que j'aime, à ce que j'aime, à tout ce que j'aurais pu faire d'autre que de travailler ou d'être obsédé par le travail quand je n'y suis pas physiquement. Je fais cependant attention à la culpabilité qui pourrait me venir des mauvais choix de vie que j'ai effectués et qui me mènent présentement au burnout.

153

○ *On répond continuellement à de supposées urgences, sans déterminer celles qui représentent des enjeux vraiment importants.*

> Je prends une semaine ou deux de congé: je constaterai que ce qui m'apparaît aujourd'hui comme une urgence nationale peut sans doute attendre un peu.

L'urgence, c'est de me reposer et de me ressourcer: je laisse le reste m'attendre un peu.

J'apprends la patience: c'est une vertu, ça aussi. Plus reposé, le nez moins collé sur toutes ces tâches dont je m'accable, plus conscient de ma vie intérieure, disposant de davantage de temps, je saurai peu à peu beaucoup mieux ce qui me convient et je pourrai ainsi faire de meilleurs choix de vie.

○ *On délaisse ce qui, tout en étant très important, ne se présente pas comme une urgence; par exemple: répondre à nos besoins affectifs et à ceux de nos proches, garder des habitudes de santé (repos, sport, alimentation équilibrée, etc.), voir à l'organisation du travail, fixer des priorités et s'y tenir, etc.*

> J'établis de nouvelles priorités: je fais place au repos et au ressource-ment, je trouve une juste place pour le travail, les études ou les «corvées» familiales; une fois mieux dosé, tout cela fera encore partie de mon nouveau bonheur de vivre. Quand je leur aurai redonné cette plus juste place, j'aurai par le fait même cessé de les transformer en sources de souffrance.

○ *On est réactif plutôt que proactif.*

> Je me fixe comme priorité quotidienne de mieux voir venir les coups; je réserve du temps pour planifier et mieux m'organiser, tout en laissant des plages horaires libres dans mon agenda pour absorber les inévitables imprévus.

○ *On amène du travail chez soi, avec l'espoir de pouvoir l'accomplir, et on se sent coupable si on n'y arrive pas.*

> Je laisse le travail au bureau. Je réalise que ce n'est pas lui qui me suit: c'est *moi* qui le traîne! Ce n'est pas lui qui a besoin de moi, c'est *moi* qui crois avoir besoin de le terminer.

○ *On essaie de changer en prenant toujours les mêmes résolutions, qu'on est incapable de tenir. (Par exemple: «Je vais cesser de travailler la fin de semaine, ou je vais me reposer... demain!»)*

> Les bonnes résolutions, c'est comme les promesses électorales: si je ne peux pas les tenir, je ne les reprends pas continuellement! Je mets plutôt au programme des choses inconciliables avec le travail: si, le soir, je vais au cinéma ou je joue au tennis, je ne travaillerai pas.

○ *On préfère ne pas entendre les commentaires qui concernent notre fatigue et ses causes, ou notre implication démesurée au travail.*

> J'accepte d'écouter mon conjoint, mes enfants, mes collègues, mes voisins, mes amis, mon corps... ou mon miroir!

○ *On admire les gens qui sont capables de tout faire sans manifester de fatigue excessive, et on s'efforce de leur ressembler plutôt que de prendre soin de nous-même.*

> Je trouve aussi des gens sereins comme modèles, j'apprends à admirer les gens heureux, et non seulement les héros, dont je sais qu'un grand nombre meurent jeunes...

○ *On préfère croire qu'on s'investit de façon démesurée au travail parce qu'il y a beaucoup de travail, plutôt que parce qu'on est incapable de dire non.*

> J'examine sérieusement mes difficultés à dire non, plutôt que de penser que «je n'ai jamais le choix». Je réalise que *je n'ai jamais rien*

d'autre à faire que ce que je choisis de faire. Je dis «oui» à une autre vie, plus saine, et je choisis de faire beaucoup de choses *autrement.*

○ *On a le sentiment qu'il n'y a pas d'autre vie possible, d'autre travail possible, d'autres façons d'accomplir notre travail.*

〉 Je réalise que je peux choisir une autre vie, si j'accepte de renoncer à certaines choses ou à certaines façons de faire. C'est *moi* qui mène ma vie, comme je l'entends. Je peux changer ma conception du bonheur: celle que j'ai actuellement m'amène à être... malheureux!

Je réalise que le développement personnel comporte des moments de rupture, des moments d'ouverture au nouveau qui nous appelle de l'intérieur; il ne consiste pas en une continuité qu'on devrait assurer en ne laissant jamais rien aller tout en s'efforçant de faire «grossir» ce qu'on a déjà.

○ *On accepte la responsabilité de mener à bien des tâches sur lesquelles on n'a pas vraiment de pouvoir.*

〉 Je vérifie toujours le pouvoir et le contrôle réels que j'ai sur toute situation avant d'accepter ou non d'en prendre la responsabilité. J'avise mon supérieur que j'ajusterai dorénavant ma part de responsabilité sur mes dossiers au pouvoir que j'ai de les faire progresser.

Je m'interroge très sérieusement sur ma tendance à la culpabilité si je me sens encore inutilement coupable de ne pas mener à bien ce sur quoi je n'ai pas de contrôle.

○ *On accepte de prendre la responsabilité de la tâche, mais pas celle de notre souffrance, qu'on attribue non à notre propre surinvestissement au travail, mais au fait qu'on n'a pas le choix, compte tenu de l'ampleur de la tâche.*

〉 Je m'entraîne à ne pas rendre les autres responsables de ma souffrance: j'apprends à voir leurs exigences comme des «propositions», et je sais que c'est toujours moi qui ai le dernier mot sur ce que j'accepte de faire, ainsi que sur la façon dont je fais les choses. J'apprends à devenir responsable de *moi* — même si je n'ai pas le contrôle absolu sur ma personne.

○ *On se plaint volontiers de notre tâche et des autres, mais on exprime peu ce qu'on ressent; on dit non pas: «J'ai mal!», mais plutôt: «Ils ne sont pas corrects!».*

⟩ J'évite les conversations où tout le monde se plaint sans cesse des autres et de l'entreprise: je réalise que ces commérages de victimes sapent mon moral et me maintiennent dans un rôle de condamné plutôt que de me donner des moyens concrets de sortir de l'impasse dans laquelle je suis engagé. Je me plains moins et j'apprends à reconnaître et à exprimer davantage mes émotions. Puis j'*agis* en fonction de ce que je ressens, de façon responsable.

○ *On accepte qu'il y ait des perdants (dont nous-même, le plus souvent).*

⟩ Je ne fais plus de compromis sur l'essentiel (les valeurs, le sens de ma vie).

J'essaie de trouver des solutions satisfaisantes pour tous, même si j'ai souvent le goût que certains paient pour leurs «fautes». Si je n'arrive pas à ce que tous gagnent, je n'accepte que des solutions satisfaisantes pour moi, ou je n'investis que très peu d'énergie dans les solutions insatisfaisantes qui me sont imposées.

○ *On est toujours en compétition, on prend tous les moyens pour gagner.*

⟩ La compétition est un autre piège. Je cesse de vouloir l'emporter sur les autres, je n'utilise plus de moyens déloyaux pour arriver à mes fins. Je m'occupe de *ma* vie.

○ *On s'isole quand on se sent incompétent, on cache nos «faiblesses».*

> Je continue de cacher mes «faiblesses» à ceux qui veulent m'exploiter, mais je partage ma vie intérieure avec les gens qui savent m'écouter.

○ *On cède aux pressions et on fait des choses qui vont à l'encontre de nos valeurs personnelles profondes.*

> Je fais volontiers des compromis sur certains de mes principes rigides, mais je ne fais plus rien qui s'oppose à mes valeurs: cela risquerait de miner mon estime de moi. Si je réalise qu'il est vraiment impossible de travailler à mon poste sans renier mes valeurs, je commence immédiatement à préparer ma sortie: *je ne reste pas là.*

> Ne va-t-on pourtant pas tous arriver à Noël en même temps?

Oui, mais on ne sera pas tous dans le même état! «J'espère que Noël tombera un dimanche cette année: je n'ai pas *deux* jours à perdre, j'ai tellement de travail en retard!», vous diront quelques dévoués cadres d'entreprise.

D'autres, au contraire, ont hâte de prendre leurs vacances, car ils savent à quel point ils ont besoin de se reposer. Ils ont oublié que les vacances, ce n'est pas fait pour se reposer: c'est fait pour se *ressourcer*. Penser ainsi que la vie est faite pour travailler, c'est avoir une *très mauvaise* attitude. Si on a besoin de se reposer, profitons de nos soirées et de nos week-ends avec nos proches. Alors, on profitera *d'autant plus* de

> ### Indications de survie

Je vois les congés comme des cadeaux plutôt que comme des calamités. Si je n'y arrive pas, je prends au moins conscience que mes priorités sont malsaines, et je les change. Il n'y a pas si longtemps, j'avais *hâte* aux congés!

158

notre vie au travail, dans la mesure où on reste intelligent dans notre façon de l'aborder. Et si on est vraiment exténué, si notre corps et notre âme craquent de partout, prenons non pas des vacances, mais un congé de maladie: c'est fait pour ça.

Les gens qui sont sur la voie de l'épuisement essaient à l'occasion de se convaincre qu'ils «devraient» s'accorder plus de temps libre mais, pour eux, cela devient une autre tâche à accomplir, un autre domaine... où ils se sentent incompétents, ce qui se transforme en une nouvelle source de culpabilité! Ce qui aurait pu être une solution finit encore une fois par faire partie du problème.

Dans «se convaincre (de se reposer)», il y a «vaincre», et pour de nombreuses personnes, le combat semble perdu d'avance. Il y a aussi... «con»! Vers la fin de leur traitement, beaucoup de gens épuisés s'affublent volontiers de cette étiquette, mais gentiment, car ils ont compris et accepté leur méprise. Essayons de comprendre avant d'être hors circuit...

L'épuisé (ou celui qui est sur la voie de s'épuiser) n'a pas besoin de vaincre quoi que ce soit, et encore moins de se vaincre lui-même: il a besoin de se détendre, de se retrouver et de faire de nouveaux choix

> ### Indications de survie

Je réalise que c'est un peu bête de me vider ainsi de mon énergie alors que je pourrais faire autrement. Je décide de beaucoup mieux profiter de la vie, même si j'en ai perdu l'habitude et que je ne sais pas très bien comment y arriver pour l'instant; alors je m'entraîne. Mes enfants pourraient sans doute m'enseigner ça et m'aider à m'y exercer...

> ### Indications de survie

J'établis à nouveau le contact avec moi-même; je retrouverai quelqu'un qu'il vaut la peine de connaître. Ces retrouvailles feront certainement resurgir des émotions intenses et des blessures profondes, mais je ne veux plus rester étranger à moi-même. Je veux retrouver *mes* forces et *mon* énergie, et les utiliser pour *me* réaliser, faire *ma* part dans le monde.

non pas *contre* lui-même ou contre les autres, mais *avec* ce qu'il y a de plus profond en lui, caché sous ses peurs. Il pourra ainsi retrouver un sens à sa vie et faire ses choix en conséquence.

> *Au fond, les candidats au burnout veulent bien faire. Est-ce vraiment un si grand défaut?*

Ce n'est certes pas un défaut! Mais si on ne prend pas soin de soi alors qu'on est obsédé par le travail et qu'on souffre de multiples symptômes de stress, on se précipite vers le burnout. Il s'agit donc d'arriver à *concilier* notre désir de bien faire et notre capacité à le faire, compte tenu des circonstances et du milieu qui est le nôtre, maintenant. C'est-à-dire qu'il s'agit d'utiliser nos qualités, nos valeurs, nos talents et nos compétences pour nous développer et profiter de la vie plutôt que pour nous détruire, tout en offrant aux autres (et en particulier aux nôtres) ce qu'il y a de plus précieux: une personne heureuse qui peut partager du temps avec eux, une personne heureuse d'apporter sa contribution au monde. Cela demande du courage et de la créativité.

Le courage, la responsabilité, la solidarité et le désir de bien faire ne sont évidemment pas des qualités qu'on doit combattre jusqu'à ce qu'on les ait complètement éliminées! On cherchera plutôt à les intégrer dans une autre conception de la vie, plus saine. On verra le travail comme une partie de notre vie, destinée à nous aider à mieux la vivre. On accomplira donc ce travail consciencieusement, *mais jamais au détriment du reste de notre vie.*

Les qualités qui nous mènent à notre perte depuis que le monde du travail a changé peuvent, au contraire, se révéler des forces majeures dans une nouvelle façon d'envisager ce même contexte. Mais, alors qu'ils pourraient se donner cette nouvelle vision bien avant que leur souffrance ne devienne insupportable, les candidats au burnout attendent souvent d'avoir atteint un très haut niveau d'épuisement physique et mental avant de réaliser leur méprise; ils doivent alors prendre un congé de maladie et entreprendre une transformation plus ou moins profonde de leurs habitudes de vie, voire de leur personnalité.

C'est ce processus de changement que nous allons décrire plus avant dans la deuxième partie de cet ouvrage.

Pour sortir
grandi
d'un burnout
douloureux

Chapitre 1

La consultation
professionnelle

> ❯ *Est-ce qu'on doit recourir à de l'aide profession-*
> *nelle quand on est en burnout?*

Par définition, le burnout commence au moment où la fatigue est tellement grande qu'elle se transforme en épuisement. Cela signifie que les gens qui en sont rendus à ce point ne pourront plus vaquer à leurs occupations habituelles avant de longs mois. Il est donc fort probable qu'une consultation médicale leur sera nécessaire et, à ce stade, le médecin devra leur imposer un congé de maladie. C'est ainsi que commence le traitement pour la plupart des gens. Peut-être reçoivent-ils même déjà une médication pour certains maux qui annonçaient le burnout: insomnie, maux de tête, problèmes digestifs, hypertension artérielle, anxiété, sentiments dépressifs, etc., maux qui ont augmenté tout au long de l'étape où ils sont devenus de plus en plus obsédés par leur travail. Le médecin peut donc aider à réduire leurs symptômes en prescrivant des médicaments et les soustraire à une occasion majeure de stress en leur donnant un congé de maladie — ce qui a aussi un effet très bénéfique sur les symptômes, du moins à moyen terme.

Si on s'est rendu jusqu'au point où on n'est plus fonctionnel, il est aussi fort probable qu'on s'est oublié depuis longtemps en tant que personne et que notre façon de situer le travail dans l'ensemble de notre vie mérite d'être révisée. En ce sens, il est très utile de recevoir de l'aide professionnelle pour mieux se comprendre, pour mieux rebâtir l'estime de soi (laquelle a bien besoin d'être refaite), et pour éviter qu'on ne retombe dans les mêmes pièges dès qu'on sera revenu au travail. Certains omnipraticiens peuvent assurer le suivi en psychothérapie, mais la plupart d'entre eux préfèrent que leur patient consulte un psychiatre ou un psychologue.

› *Les épuisés consultent-ils volontiers en psycho-thérapie?*

Pas au tout début de leur congé forcé, et encore moins avant ce même congé. La plupart d'entre eux se sont fait recommander de consulter bien avant que «la marmite saute», au moins sept ou huit mois avant. Mais leur personnalité les amène à penser qu'ils doivent s'en sortir seuls, ou ils croient fermement que leur mal est essentiellement physique, temporaire, ou encore que consulter serait abdiquer par rapport à leur tâche: leur médecin leur ayant déjà conseillé de ralentir, il est évident qu'un psychologue ne va pas leur donner des trucs magiques pour accélérer! *Ils savent très bien* au fond d'eux-mêmes que leur façon de vivre est insensée, mais ils ne veulent pas l'admettre concrètement: cet aveu les obligerait à remettre en question la conservation ou l'obtention de ce dont ils croient avoir absolument besoin.

Ils persistent donc à croire que la seule solution à leur problème consiste à terminer tout ce qu'ils ont entrepris ou tout ce qu'on leur confie. Même en congé de maladie, au début, ils veulent un traitement médical rapide, lequel signifierait qu'ils sont «malades», comme ça arrive à n'importe qui, et non qu'ils ont «échoué». Car ils croient en leur for intérieur qu'il s'agit d'un échec.

Ce n'est que lorsque leur congé de maladie dure depuis un moment (quelques semaines, le temps qu'ils constatent avec leur médecin que les antidépresseurs ou les autres médicaments ont soulagé quelque peu la souffrance, mais qu'ils n'ont pas fait de miracle) qu'ils arrivent à prendre suffisamment de recul pour comprendre que l'intervention médicale ne leur donnera pas tout ce qu'ils en attendaient. Ils se sentent alors encore plus déprimés: ils ont le sentiment qu'ils ne guériront jamais.

Mais le médecin leur offre une autre possibilité, celle de la consultation psychologique. Certains acceptent. Quand leur médecin ou leurs proches connaissent des professionnels qui peuvent les aider, cela élimine un autre obstacle, car ils se sentent déjà en confiance.

Ils pourront alors entreprendre une démarche de changement, qui leur permettra de laisser une partie de ce qui leur fait mal derrière eux pour s'ouvrir à une façon de vivre beaucoup plus saine. Sans être la seule manière de leur permettre de se tirer de l'impasse, la consultation psychologique est un moyen privilégié de les aider à transformer leur souffrance en source de développement et, ce faisant, à retrouver leur joie de vivre.

> *Une entrevue avec un psychiatre expert peut-elle les aider?*

Les entrevues avec les psychiatres experts ne sont pas faites pour aider les gens, puisqu'il n'y aura pas de suivi, mais pour évaluer leur condition et vérifier si le médecin traitant a eu raison d'autoriser un congé de maladie. Dans le cas où le psychiatre juge que la personne dont il évalue l'état de santé peut retourner au travail, il a le pouvoir de mettre fin à son congé, unilatéralement. Nos lois lui permettent en effet de décider, en 45 minutes d'entrevue, de renvoyer au travail un patient que son confrère omnipraticien connaît depuis 20 ans et qu'il aura mis des mois à convaincre d'arrêter. Il existe des recours, mais cela demande encore une fois une énergie dont l'épuisé ne dispose pas. Dans la mesure où la collaboration avec son médecin traitant est bonne, il peut cependant s'alléger en partie de ce fardeau en mettant ce dernier dans le coup et en s'assurant de sa collaboration.

Pour une majorité d'épuisés, l'entrevue d'évaluation psychiatrique imposée est très angoissante, et ce, de nombreux jours *avant* et *après* sa tenue. Elle vient les frapper exactement là où ils sont le plus vulnérables: dans leur peur d'être jugés, d'être blâmés, d'être perçus comme malhonnêtes. De plus, c'est quand même de leur sort qu'un psychiatre va décider, un psychiatre qu'ils n'ont jamais vu et qu'ils ne reverront probablement jamais, payé par une compagnie d'assurances qui a plutôt intérêt à ce qu'ils retournent au travail le plus rapidement possible. Et puis, quelle honte ce serait s'ils devaient retourner au travail: tout le monde dirait qu'ils ont voulu «profiter du système»!

Cela dit, beaucoup de psychiatres experts arrivent le plus souvent à la même conclusion que le médecin traitant, du moins au tout début du congé. Quand le congé a duré cinq ou six mois, les avis diffèrent plus souvent [16].

16 Si la grande majorité de ces évaluations sont honnêtes, j'ai cependant aussi entendu quelques histoires d'horreur à leur sujet, et j'ai aussi eu l'occasion de lire certains rapports d'évaluation complètement déloyaux. Retenez bien que si l'expert vous accuse à répétition d'être malhonnête plutôt que de s'en tenir à des questions sur votre état de santé, s'il semble poser des questions pour confirmer une idée préconçue à l'effet que vous abusez   >

> *Comment l'épuisé réagit-il lorsque sa souffrance est telle qu'il doit absolument abandonner son poste pour prendre un congé de maladie?*

Souvent, au départ, l'épuisé se blâme lui-même et met tout sur le dos de sa supposée incompétence: «Pourquoi n'ai-je pas été capable de tout réussir sans flancher?» Alors même qu'il se voit forcé au repos, il ne se perçoit pas encore comme quelqu'un souffrant d'une «maladie» et qui, à ce titre, a droit à un congé. Il espère plutôt qu'il va récupérer au plus tôt et retourner au travail. Il n'oserait jamais profiter de cette période de convalescence forcée pour aller au cinéma, faire du ski ou du camping, par exemple. Il lui serait d'ailleurs intolérable d'être vu en train de «s'amuser» alors qu'il est en congé de maladie; et de toute façon, à ce stade, il est rare qu'il ait l'énergie suffisante pour s'engager dans des activités de loisir, pour lesquelles il a d'ailleurs perdu beaucoup d'intérêt, comme pour tout le reste.

Le plus souvent, il se retrouve donc sept jours sur sept coincé entre quatre murs, à chercher une solution magique afin de retrouver sa foi et sa fougue d'antan tout en désespérant d'y arriver, sans énergie durable, souffrant dans son corps et son âme, rempli d'émotions déchirantes, se fixant des échéances pour guérir, pensant encore constamment au travail, ce dernier le suivant jusque dans les cauchemars qui le terrorisent presque chaque nuit.

> du système plutôt que pour chercher à savoir où vous en êtes et ce qui s'est vraiment passé pour vous, s'il interprète vos difficultés actuelles comme résultant uniquement de vos erreurs de jugement, de vos difficultés conjugales ou de votre passé, s'il fouille dans votre vie intime pour expliquer vos problèmes de santé, *ne restez pas là*. Allez-vous-en *dès que vous vous rendez compte* du piège dans lequel on veut vous prendre, retournez vite chez vous et demandez une nouvelle évaluation avec un spécialiste choisi par votre médecin traitant. Ces entrevues malhonnêtes ne sont pas *fréquentes*, mais elles existent et il reste *possible* d'en subir une.

Puis, peu à peu, le sentiment d'incompétence et de culpabilité fait place au ressentiment: «Comment ont-ils pu oser m'en demander autant, être aussi injustes?» L'expression de la culpabilité et du ressentiment, *quoique nécessaires*, ne représentent cependant que les phases préliminaires du processus de transformation: il faut faire plus qu'identifier le «vrai» coupable et se plaindre de sa malveillance si on veut arriver à changer vraiment!

L'épuisé prendra donc d'abord le temps d'accepter son état, ainsi que la convalescence qui lui est nécessaire; quand ce sera fait, la recherche de solutions durables (et non plus uniquement de bonnes résolutions) pourra véritablement commencer.

› *Le congé de maladie permet-il d'être à l'abri du stress au travail?*

Pas autant qu'il serait souhaitable. D'un côté, le congé de maladie permet aux convalescents de ne plus se retrouver sur les lieux de leur travail et donc de ne plus avoir de tâches à accomplir. Cela peut les soulager, même s'ils ont du mal à accepter ce retrait forcé. D'un autre côté, ils reçoivent souvent des appels de leur patron ou de leurs collègues: tantôt ces derniers veulent savoir où en était tel dossier, tantôt ils prennent de leurs nouvelles... et parlent de tout ce qui continue d'aller mal au bureau, tantôt ils exercent des pressions pour qu'ils reviennent.

Pour une majorité de gens, la meilleure attitude à prendre consiste à affirmer qu'ils ont actuellement suffisamment de difficulté et de souffrance pour ne pas avoir en plus à entendre parler des problèmes du bureau, et à dire que c'est leur médecin, et non eux, qui va décider de la date et des modalités de leur retour au travail. Il reste aussi possible de filtrer les appels et de choisir ceux auxquels on va répondre. En fait, pendant quelque temps, il vaut mieux faire comme si on était hospitalisé.

Il reste aussi les relations avec le service de santé de l'employeur et les compagnies d'assurance-salaire, qui peuvent contraindre les épuisés à de nouvelles expertises médicales et qui fournissent — fort généreusement — tous ces papiers que l'épuisé et son médecin doivent remplir périodiquement. Ces contacts sont habituellement *très* pénibles pour le convalescent et, en lui demandant beaucoup d'énergie, ils retardent son retour à la santé. Pour certains épuisés, tout cela devient même une nouvelle obsession!

Et puis, il n'y a pas que ces éléments concrets qui leur rappellent le travail: par exemple, les épuisés en convalescence ont des milliers de souvenirs qui leur tournent continuellement dans la tête; ils sont constamment envahis de culpabilité d'avoir failli à la tâche, de rancune envers leurs bourreaux, d'impulsions de retourner au poste ou de démissionner, d'agressivité, d'une multitude de «J'aurais dû faire ceci!», «J'aurais dû dire cela!», «J'ai peur qu'ils ne pensent ceci...», etc. En fait, même théoriquement à l'abri chez eux, les épuisés pensent presque constamment au travail pendant les premières semaines, sinon les premiers mois, de leur congé de maladie.

> ### › *Si on souffre d'épuisement, que peut-on faire concrètement pour s'aider dans les premières semaines de notre congé de maladie?*

On commence par accepter l'idée qu'on est non pas en congé, mais bien en *convalescence*. Même si ça ne saute pas toujours aux yeux, notre état de santé est *très* mauvais. Ensuite, on peut:

1. Sur le plan des symptômes qu'on ressent:

— Se soigner: avec l'aide d'un médecin, d'un acupuncteur, d'un massothérapeute, d'un ostéopathe, etc., selon les symptômes qu'on ressent (et les traitements auxquels on croit);

— Prendre énormément de repos, même si, en nous confrontant à notre souffrance, une certaine oisiveté peut être difficile à supporter;

— Rattraper tout le sommeil qu'on a perdu au cours des derniers mois, si possible;

— Apprendre à utiliser la relaxation et la méditation, à la fois pour diminuer la tension qu'on ressent et pour rétablir ce contact plus profond avec soi dont on aura besoin si on veut mieux toucher à nos émotions refoulées et bien refaire nos choix de vie;

— Faire chaque jour de l'exercice physique, de façon *très* modérée au début, avec pour but de se *renforcer*, et non de se défoncer ou de se prouver quoi que ce soit. Le plus simple est de faire quotidiennement deux, trois ou quatre promenades de dix ou douze minutes; après cinq ou six semaines, augmenter *progressivement* la durée de nos promenades. Puis, toujours *très* progressivement, on pourra aller vers des activités plus exigeantes.

La règle est toujours d'en faire moins que ce qu'on pense pouvoir faire. Quand on sera rétabli, on pourra se permettre de se fatiguer un peu; mais pour l'instant, *toute fatigue retarde la guérison,* alors même qu'on se fatigue à rien.

— Se ressourcer: mettre au programme des activités simples ou inspirantes, qui nous aident à refaire le plein.

2. Sur le plan de l'ensemble de nos occasions de stress [17]: on évite de dépenser le peu d'énergie qui nous reste, et on se donne les moyens de refaire nos réserves.

A. Éviter de perdre de l'énergie

Pendant les premières semaines du congé de maladie, il est fort utile de réduire à presque rien toutes les exigences de la vie dite «courante»: gardons le peu de forces qui nous reste pour recouvrer la santé. Cela signifie non seulement qu'on s'absente du travail, mais aussi qu'on délègue le plus possible les tâches ménagères ou familiales et qu'on divise le peu dont on garde la responsabilité en tâches plus petites, qu'on accomplit les unes après les autres en prenant une période de repos entre chacune. On écarte les routines qui, compte tenu de notre état de faiblesse généralisée, sont devenues exigeantes (recevoir la parenté, par exemple). En fait, on agit presque comme si on était hospitalisé. Très progressivement, on reprend la charge de certaines corvées, mais, pendant de longs mois, on prend garde de ne jamais se fatiguer: on récupère!

Quand on est épuisé, ce qu'on accomplissait auparavant comme si de rien n'était *exige des efforts*, même si ces derniers n'apparaissent pas comme tels au moment même où on s'adonne à nos activités. C'est un tout petit peu plus tard (dans la soirée ou le lendemain) qu'on ressentira à quel point une si légère dépense d'énergie nous a de nouveau complètement démoli. Et, quand on est épuisé, nos efforts se traduisent *toujours* par un affaiblissement. Comme ce n'est

---

17 Tout «stresseur» et toute «source de stress» pouvant être considérés comme des invitations à développer de nouvelles compétences, nous les désignons par l'expression «occasions de stress». De ce point de vue, ce ne sont pas uniquement nos problèmes extérieurs qui expliquent notre tension intérieure: c'est aussi notre incapacité de répondre à ces difficultés. Quand on a appris à répondre à une occasion de stress, elle n'en est plus une!

vraiment pas ce qu'on souhaite, il est donc préférable d'accepter de dépenser *beaucoup* moins d'énergie, de faire moins que ce dont on se croit capable. Et prenons conscience que ce dont *on se croit* capable est bien supérieur à ce dont *on est* capable, dans la réalité.

Évidemment, dès qu'on ressent un peu d'énergie, on a le goût de faire des choses ou, du moins, on sent de nouveau qu'on peut enfin faire les choses qu'on croit devoir faire: c'est signe qu'on n'a pas encore changé les attitudes qui nous ont mené à l'épuisement... Comme il est *très* dangereux de se vider en ne faisant qu'un effort minime, en accomplissant de petites corvées qui nous apparaissent bien anodines, gardons notre énergie pour guérir, plutôt que de continuer à nous affaiblir. *Plus tard*, on reprendra les choses en main.

Et ce «plus tard» arrivera un peu «plus tôt» si on fait bien attention. On n'est pas en vacances: on est en *convalescence*. Une convalescence pour *épuisement*, un état où tout notre être réagit très fortement à la moindre dépense d'énergie. De plus, il est important de commencer à cultiver au plus tôt cette nouvelle attitude qui mène à prendre soin de soi de façon à conserver sa vitalité; elle nous sera fort utile quand on reprendra le travail. Le monde du travail n'aura pas changé, et on s'épuisera de nouveau si on ne développe pas un sens de la responsabilité qui inclut, en premier lieu, le maintien de notre santé.

B. Refaire nos réserves

— Mettre en pratique les recommandations ci-dessus en ce qui concerne l'action sur les symptômes de stress;
— Reprendre contact avec les gens qu'on aime et qui nous aiment (on les a fort probablement délaissés). On pourra avoir de brèves causeries au téléphone, passer de

courts moments avec eux, aller au cinéma. Mais évitons les longues conversations ou les longues sorties.

— S'adonner à des activités de loisir très peu exigeantes, comme faire des casse-tête, écouter de la musique et regarder des films, reprendre ou amorcer doucement des activités de création (peinture, sculpture, etc.), et ce, pour le plaisir, *sans souci de performance*!

Comme l'épuisement s'accompagne d'une grande perte d'intérêt, il est fort probable qu'on n'aura pas beaucoup le goût de reprendre contact avec nos amis ni de faire des choses qui nous ont déjà plu mais qui ne sont pas absolument «obligatoires». Souvenons-nous alors que «l'appétit peut venir en mangeant», c'est-à-dire *commençons* par expérimenter concrètement (mais toujours très doucement) ces quelques moyens de retrouver de l'énergie, et évaluons *ensuite* si cela nous a fait du bien.

Attention aussi à notre attitude bien ancrée selon laquelle «on ne peut se donner droit au plaisir que lorsqu'on l'a mérité».

On peut progressivement augmenter la dépense d'énergie, toujours très lentement. La fatigue qui s'ensuit reste la bonne mesure de ce qu'on peut se permettre d'accomplir. Il s'agit de se faire plaisir sans se faire mal (c'est-à-dire tout le contraire de ce qu'on fait depuis des mois et des mois...).

› *Le début de ce congé est-il un bon moment pour penser à l'avenir?*

Non. Il n'est pas du tout indiqué de chercher des solutions aux problèmes qu'on a vécus au travail pendant les deux, trois, parfois quatre premiers mois de la convalescence. Il vaut mieux considérer notre envahissement par des

«Je vais faire ceci, j'aurais dû faire cela dès le début, ils ne m'y reprendront plus, etc.» comme des indications qu'on a des émotions à exprimer et non comme des pistes d'action à envisager. En fait, cette façon de se faire croire qu'on va régler notre problème en démissionnant, en jouant au martyr, en décidant que, désormais, on ne laissera plus rien passer ou en assommant notre patron reste un faux-fuyant: on continue à contourner nos émotions (surtout nos peurs, notre infinie tristesse, notre colère et notre impuissance). La question qui se pose à ce stade est moins de savoir ce qu'on va faire ou ce qu'on aurait dû faire que d'accepter qu'on est profondément blessé et d'exprimer cette souffrance pour libérer la tension qui y est attachée, tout en prenant le temps et les moyens de guérir des maux que l'épuisement a engendrés dans notre corps.

On n'envisagera de nouvelles directions que plus tard, quand on ira mieux, que notre espace intérieur sera dégagé de toutes ces émotions. Cet agrandissement de notre espace intérieur nous permettra à la fois de prendre du recul par rapport à la situation problématique et d'atteindre une certaine profondeur dans notre être; on pourra alors commencer à s'interroger sur ce qu'on veut vraiment dans la vie. Mais pour le moment, encore une fois, le problème ne se situe pas au travail, même si ce dernier nous obsède encore; *notre problème, c'est notre obsession: c'est elle qui engendre notre problème de santé*. Et cette obsession ne s'est développée qu'à la suite de nos dépendances, lesquelles révèlent le plus souvent des peurs.

On n'abordera donc le problème du travail que plus tard, quand on aura au moins compris que la santé est plus importante que ce dernier et qu'on sera physiquement et psychologiquement en mesure de se poser des questions sur notre avenir. Pour l'instant, on ressent trop de culpabilité, de colère, de rancœur, de tristesse, de désespoir et de confusion pour qu'on puisse prendre quelque décision que ce soit et s'y tenir de façon durable.

> ## Peut-on quand même faire quelque chose, dès le début de notre congé de maladie, en ce qui concerne notre retour au travail?

Oui. Commençons tout de suite à changer *d'attitude*: n'abordons pas notre problème de santé comme on a abordé notre problème de travail. Donnons-nous au contraire du temps, de l'espace, tenons mieux compte de notre vie intérieure profonde. Cela nous sera très utile quand on reprendra le travail.

Ce changement d'attitude ne vient cependant pas rapidement. La plupart des épuisés qui consultent un psychologue ont en effet bien du mal à accepter que ce dernier ne soit pas trop pressé, au début, de trouver des solutions au problème du travail, et qu'il les ramène surtout à leur vie intérieure, à leurs émotions et à des actions à très court terme grâce auxquelles ils pourraient mieux prendre soin d'eux, maintenant. Cependant, peu à peu, ils comprennent qu'ils n'arriveront jamais à vraiment solutionner leur problème au travail s'ils ne savent pas qui ils sont et ce qu'ils veulent, s'ils n'acceptent pas que ce «problème de travail» est en fait un «problème personnel avec le travail» même si, dans la réalité, beaucoup de leurs collègues ont aussi un «problème personnel» analogue avec le travail...

Peu à peu, ce travail sur soi mènera à de nouvelles actions, tout autant nécessaires à une vie meilleure et mieux équilibrée. Il ne s'agit pas de fuir la vie dans la connaissance de soi comme on avait fui nos émotions dans le travail! En fait, le traitement du burnout mène à la fois à mieux se connaître et à choisir des stratégies d'action plus appropriées pour vivre sa vie de tous les jours. Il s'agit de mieux harmoniser sa vie intérieure et sa vie extérieure, dans un équilibre sain et stimulant.

Chapitre 2

Convertis et invertis:
changement de stratégies ou transformation intérieure?

> ❯ *C'est donc dire que ça se soigne, le burnout. Comment?*

La première distinction à faire ici, c'est que nous traitons non pas le burnout, mais bien une *personne* qui souffre d'épuisement. La seconde distinction, c'est que «traiter» cette personne ne signifie pas la prendre en charge en lui prescrivant les médicaments les plus appropriés et en la convainquant de faire ce qui est théoriquement bon pour elle; cela signifie plutôt l'aider à trouver *ses* solutions, l'accompagner tout au long du processus de sa guérison et de sa recherche de mieux-être. Nous l'aidons à prendre soin d'elle-même le mieux possible durant la période de souffrance qu'elle traverse — ce qui peut impliquer la prescription de médicaments — et nous l'aidons à changer ce qui l'a menée à l'épuisement, de façon à ce que, à son retour au travail, elle puisse conserver l'équilibre qu'elle aura retrouvé.

Pour ce faire, il existe deux grandes voies de changement qu'on peut envisager une fois que l'épuisé est en mesure de penser plus posément à son avenir, c'est-à-dire le plus souvent après quelques mois de convalescence. La première vise surtout à l'aider à mettre en place des changements extérieurs (il s'agit de l'aider à adopter de nouvelles

façons de voir ses difficultés et à utiliser de nouvelles stratégies pour les résoudre), alors que la seconde vise d'abord
une transformation intérieure (il s'agit de l'aider à mieux se
connaître et à faire de nouveaux choix de vie) [18]. En pratique, chaque épuisé trouvera ce qui lui convient le mieux
dans chacune de ces deux directions de changement.

> *En quoi consiste la première forme de traitement?*

Cette première voie amène le convalescent à comprendre
qu'il ne pouvait faire autrement que de s'épuiser, compte
tenu des nouvelles règles du jeu au travail ainsi que de ses
façons de voir les choses et d'essayer de régler ses problèmes. Il doit donc «remplacer» ses façons d'aborder ses
difficultés par des stratégies plus efficaces. L'accent est mis
sur la résolution «objective» des problèmes: on analyse, on
réfléchit et on détermine les actions à entreprendre. Avec
l'épuisé, on observe la situation dans son milieu de travail, on
évalue les rapports de forces, on étudie ses façons de com-
muniquer avec ses collègues, ses patrons et les clients, on
regarde ses compétences, on analyse sa façon de gérer son
temps, etc., et on arrive, toujours avec lui, à de nouvelles
conclusions: voici dorénavant les meilleures choses à faire
par rapport à telle ou telle difficulté, voici comment il serait
préférable de se comporter avec telle ou telle personne. Ou
on conclut qu'un changement de poste s'impose.

On analyse même les émotions «qui posent problème».
On conclura par exemple que la colère ou la tristesse

---

18 En psychologie, les approches cognitive, behaviorale, systémique et interactionnelle
visent surtout le changement extérieur, alors que les diverses approches psychanalytiques,
humanistes et psychocorporelles visent surtout le changement intérieur. La plupart des
psychologues combinent plusieurs approches, qu'ils adaptent aux personnes et à leurs difficultés.

venant de telle difficulté non résolue, il vaudrait mieux agir de telle façon, dorénavant, pour éviter que ces émotions ne reviennent pour rien. Un peu, par exemple, comme on invite notre cadet à réaliser que son frère aîné fait exprès de le faire fâcher, et qu'il pourrait s'éviter bien des colères en s'habituant à prendre les «offenses» de son taquin de frère beaucoup plus à la légère. On s'intéresse à peine à l'émotion elle-même: on pense plutôt «stratégie», autant sur le plan de la pensée (comment comprendre la situation) que sur celui du comportement (comment agir, maintenant qu'on voit les choses autrement).

> ### ➤ *En général, comment l'épuisé qui veut surtout changer ses façons de faire aborde-t-il son problème?*

Le plus souvent, il commence par réaliser que sa souffrance a deux origines; elle est due, d'une part, à ses propres difficultés à gérer tout ce qui entoure le travail et, d'autre part, aux abus dont il se sent victime. Il apprendra donc essentiellement à modifier sa façon de voir les choses, à déterminer de nouveaux comportements de «gestion» de sa tâche et de ses relations de travail, à «légitimer» ces nouvelles pensées et ces meilleurs comportements, et finalement à passer concrètement à l'action pour mettre en place les changements qu'il considérera désirables.

Par exemple, il diminuera de beaucoup sa compulsion à répondre à ses propres exigences et à celles des autres («Ce n'est pas correct d'exiger autant de soi-même», «Ils n'ont pas le droit de m'en demander autant!»), c'est-à-dire qu'il se sentira dorénavant justifié de dire «non», et ce, sans trop s'être demandé pourquoi, auparavant, il disait toujours «oui». Il deviendra «légaliste» en quelque sorte, il fera respecter ses nouveaux «droits», souvent avec cette même rigueur qui l'amenait auparavant à s'obliger à accepter tout ce qu'on lui imposait — ou à s'en mettre lui-même davantage sur le dos, continuellement.

Il adoptera la direction que tout le monde lui propose de prendre depuis des mois, ou il suivra le conseil qu'il a trouvé dans un livre ou un magazine, c'est-à-dire: «Rien ne sert de se tuer au travail, on n'a qu'une vie à vivre et il faut en profiter au maximum tout en prenant bien soin de soi.» De même, il commencera à croire que, si «c'est un devoir de travailler», il est cependant «incorrect» de sacrifier sa famille, ses amis ou sa propre santé à son emploi.

Il remplacera ses anciennes injonctions («Il faut que j'arrive à livrer la marchandise!», ou «Il faut qu'ils m'en demandent moins!») par de nouvelles normes qui s'appuieront sur des droits généralement reconnus («J'ai le droit de refuser de faire ceci», «Ils n'ont pas le droit de m'obliger à faire cela!») et sur le rationnel («Il est plus logique de procéder de telle façon pour obtenir tel résultat»).

> *En fait, il agira comme le dicte «le gros bon sens»?*

Oui. Il réalisera une sorte de «conversion» plus ou moins spontanée, il adoptera une nouvelle «culture», de nouvelles règles de conduite ainsi qu'un mode de vie qui lui semble plus «correct», et se demandera pourquoi diable il ne l'a pas fait plus tôt. Un peu, même si toute comparaison a ses limites, comme les catholiques puritains des années 50 et 60 au Québec ont fait sauter les normes qui les étouffaient et sont devenus, sans grande transition, les libertins des années 70.

La démarche de ce «converti» l'amène donc le plus souvent à réagir tout autant contre ce qu'il considère comme sa propre bêtise que contre les exigences démesurées auxquelles ses bourreaux voudraient le soumettre. Il s'arme pour combattre ses propres «mauvaises» tendances, telles que se laisser manger la laine sur le dos ou vouloir sauver le monde. Contre l'ennemi extérieur, il décide que, dorénavant, il va lui-même imposer les règles du jeu; il se plaint un peu moins, mais il détermine beaucoup plus clairement les limites de ce que son employeur pourra lui demander.

«Qu'est-ce qu'il faut que je fasse?», «Qu'est-ce que j'ai le droit de faire?», «Comment arriver à mon but?», «Comment fait-on pour cesser d'être triste ou en colère?», voilà le type de questions qu'il se pose et auxquelles il veut apprendre à répondre concrètement.

> *Comment cet épuisé réagit-il à l'immense souffrance qui l'a amené en congé de maladie?*

Il cherche le «bon» traitement: «Qu'est-ce que je dois faire pour guérir?» Il utilise moins la souffrance qu'il ressent pour apprendre à se connaître que comme un «argument» de plus pour légitimer ses nouvelles stratégies d'action: «Je réalise qu'il ne sert à rien de travailler plus fort, puisqu'on me donne alors plus de travail; je sais que j'ai le droit de refuser de faire certaines choses qu'on me demande de faire, je comprends que si je m'y prenais de telle façon je réussirais mieux telle tâche, et ce, avec moins d'efforts et, en plus, je me suis épuisé et je souffre maintenant d'avoir travaillé toujours plus fort, de n'avoir jamais rien refusé, d'avoir procédé de l'ancienne façon: il est donc grand temps que je change.»

Le converti se centrera essentiellement sur l'action. En situation de crise, il n'a pas tendance à chercher la solution à l'intérieur de lui-même en utilisant l'introspection: il situe plutôt le problème à l'extérieur de lui et il l'analyse en profondeur, en termes de rapport de forces et de stratégies. En règle générale, il n'accorde pas grande importance à sa vie intérieure et à ses émotions — dont il peut être totalement coupé. Il cherche presque uniquement des solutions *concrètes* à ses difficultés. Il se demande davantage *comment* arriver là où il veut aller que *pourquoi* il tient à y aller.

> *Cette forme de traitement convient-elle à tous les épuisés?*

Les épuisés qui recherchent cette voie de traitement sont habituellement des êtres très rationnels. Des phrases comme «Si j'avais fait ceci ou cela» ou «S'ils avaient accepté de faire ce que je demandais» ne leur inspirent culpabilité ou révolte que peu de temps. Elles les amènent plutôt à changer: «Il faut dorénavant que je fasse ceci ou cela, car c'est logique, c'est correct», ou bien: «S'ils n'acceptent toujours pas de me donner des conditions de travail décentes, eh bien, ils devront l'assumer: je ne pourrai pas faire tout ce qu'ils me demandent.»

Un grand nombre des «Indications de survie» que j'ai proposé d'explorer dans la première partie de cet ouvrage sont essentiellement des stratégies de converti: elles s'inscrivent en effet dans une intervention de crise, laquelle exige qu'on agisse rapidement, et ce, de façon éclairée. On s'interrogera sur soi-même plus tard, une fois hors de danger.

> ### Se «*convertir*» est-il la meilleure façon de s'en sortir sans trop souffrir?

À court terme, oui. Le danger, c'est que les convertis continuent souvent d'être rigides. Même s'ils endossent une *autre* mode, une *autre* culture, ils se basent encore sur des principes et adoptent de nouveaux stéréotypes. Jusqu'à un certain point, cela les limite encore. Par exemple, ils ne se donnent plus le droit de faire des heures supplémentaires, de s'investir dans des projets qui dépassent un tant soit peu leur nouvelle routine, ni d'aider leurs collègues débordés. S'ils manquent à leurs nouvelles règles, ils se sentent coupables, face à eux-mêmes — et même face à leur thérapeute! Et puis, même s'ils savent mieux se défendre... ils restent quand même sur la défensive!

Leurs *comportements* sont différents, mais leur *attitude* fondamentale reste la même: ils obéissent encore à des «Il faut...», ils se réfèrent encore à des devoirs (on «doit» profiter de la vie) et à des droits (ma convention collective me permet de refuser ceci ou cela), et ils accumulent encore nombre de bonnes raisons «officiellement reconnues» ou d'arguments qu'on peut trouver un peu partout pour justifier leurs nouveaux comportements. Ils ne font pas référence à eux-mêmes, mais à des normes extérieures: non pas «Je veux vraiment tel type de vie!», mais «J'ai le droit de faire ceci ou cela!».

Ayant conclu que le travail n'est que le travail, certains risquent aussi de se contenter d'une certaine médiocrité, ce qui pourra amener une autre forme de souffrance, soit celle qui survient quand on s'éteint et qu'on passe la journée à attendre la fin de semaine, les vacances ou la retraite.

> Ceux-là courent-ils d'autres risques?

Oui. En fuyant leurs émotions, ils risquent aussi de continuer d'être guidés par elles sans trop s'en rendre compte. Par exemple, ils pourront justifier pourquoi ils ne se lient plus à leurs collègues de travail («il faut se protéger»), mais ils ne sauront pas que cette peur les coupe du besoin qu'ils ont aussi de partager, d'aimer et d'être aimés. Ce faisant, ils finiront également par croire qu'il est «normal» de vivre continuellement sous une carapace, alors qu'un travail plus en profondeur sur eux-mêmes leur permettrait à la fois de se lier aux autres sur le plan affectif et de se sentir en sécurité dans ces relations. À des degrés divers, la «conversion» peut ainsi se révéler une solution dévitalisante.

Par contre, les changements dans la vie des convertis sont souvent assez spectaculaires, dans la mesure où ils se sentent tout à coup justifiés de refuser tout ce qui va à l'encontre des nouvelles règles qu'ils se sont données.

À un autre niveau, disons aussi que la réaction de leur milieu de travail aura une grande influence sur leurs possibilités réelles de conserver leurs nouvelles attitudes et leurs nouveaux comportements; ce n'est pas parce que les convertis ont changé leurs lois qu'ils vont nécessairement parvenir à les faire endosser ou à les faire respecter par leur employeur. Mais, dans la majorité des cas, le fait de manifester plus de résistance permet quand même de faire diminuer la demande de beaucoup.

> Quelle est la seconde façon de guérir du burnout?

C'est une voie plus longue et plus ardue: celle de l'introspection, de la recherche intérieure. Progressivement, l'individu en arrive à se découvrir ou à se redécouvrir. Pour ce faire, il se demande pourquoi il en est arrivé au burnout et comment il pourrait, en quelque sorte, exorciser ce passé, quel sens il veut vraiment donner à sa vie désormais, quels sont ses véritables buts, quelles peurs et dépendances il entretient, quel type de relation il veut établir dorénavant non seulement avec le travail et tout ce qui y est associé, comme le temps et l'argent, mais aussi avec sa famille et ses amis. Pourquoi est-il un sauveur, un ambitieux? Que cherche-t-il au juste? Pourquoi le cherche-t-il? Quel est ce nœud intérieur qui l'amène à se tuer à la tâche plutôt que de vivre pleinement sa vie? Quelle est cette émotion si forte qui l'empêche de s'affirmer? D'où vient-elle? Etc.

C'est une démarche plus personnelle et plus profonde que la précédente, mais elle est plus longue et, souvent aussi, plus douloureuse, car elle est faite de remises en question et de contacts avec de vieilles blessures.

Les gens qui acceptent de s'y engager feront leurs nouveaux choix de vie non pas à partir de nouvelles normes extérieures, mais plutôt en se basant sur leur désir de développement personnel, parfois aussi sur leur désir de développement spirituel; mais dans tous les cas, ils s'appuieront sur des conclusions *intérieures*. Par exemple, plutôt que d'adopter la norme selon laquelle *il faut* dire «non!», ils se demanderont: «Qu'est-ce que je veux vraiment faire de ma vie?» et, *par conséquent*, «À quoi vais-je maintenant dire "non"?» Les nouveaux comportements qu'ils choisiront de mettre de l'avant seront en relation avec des choix de vie profonds, plutôt que de s'appuyer sur une nouvelle norme extérieure qui veut «qu'il faille» prendre soin de soi ou «qu'il soit normal» que le coupable paie pour ses fautes, par exemple.

Par opposition à la démarche du «converti», qui s'appuie sur une nouvelle logique ou de nouvelles «lois», celle qui caractérise «l'inverti [19]» amène ce dernier vers sa vie intérieure.

> *N'est-ce pas là un meilleur traitement?*

Pas forcément, et ce, pour plusieurs raisons.

D'abord, pour certaines personnes, la démarche intérieure ressemble à du «pelletage de nuages» ou n'est rien d'autre que du «nombrilisme», ce qui ne leur semble guère invitant. Elles se sentent souvent angoissées quand elles explorent leurs émotions et elles ne voient pas trop où ça pourrait les mener. Elles s'opposent donc assez rapidement à ce traitement qu'elles perçoivent comme plus nuisible qu'utile et, si on n'a rien d'autre à leur proposer, elles cessent rapidement de consulter. Il faut bien convenir que même le meilleur traitement du monde ne peut venir en aide qu'à celui qui accepte de le suivre...

Ensuite, toute personne épuisée vit une situation de crise et elle a besoin *d'agir* différemment, à très court terme. Il lui sera beaucoup plus utile d'accepter concrètement une convalescence et de se reposer que de se demander pendant des mois encore pourquoi elle n'accepte pas de le faire! En fait, même si on peut la résumer en quelques paragraphes dans un livre, la démarche intérieure en est une à moyen et long termes, alors que la souffrance de l'épuisé exige certains changements d'attitudes et de comportements à très court terme. Au début de son traitement, il a déjà un énorme problème de santé; ce n'est pas forcément

19 Au sens de «celui qui se tourne (-verti) vers l'intérieur (in-)».

le temps de lui créer un problème de plus avec son histoire personnelle!

Et puis, de la même manière que le converti fuit sa vie intérieure dans l'action, l'inverti peut facilement fuir les changements concrets qu'il devra apporter à sa vie en plongeant dans son passé, dans ses émotions, dans sa recherche d'identité ou de sens, où il se sent plus à l'aise que dans le quotidien.

> Quel serait alors le meilleur traitement?

Idéalement, un bon traitement combine les deux approches: changement d'attitudes et de comportements pour retrouver un peu d'énergie au tout début du burnout, puis expression des émotions, analyse de la situation, introspection et nouveaux choix de vie à traduire dans l'action au travail et à la maison, le tout bien dosé selon la capacité de l'épuisé à accepter et à profiter des deux directions qui lui sont proposées au fur et à mesure qu'il avance dans son traitement.

La façon de travailler du psychothérapeute a une influence, mais c'est le client qui choisira au bout du compte la voie de l'introspection ou celle du changement plus rapide de normes et de stratégies, démarche qui fera de lui surtout un inverti ou surtout un converti, chaque inverti étant un peu converti, et vice versa. En pratique, tout changement intérieur se répercute au moins un peu (parfois beaucoup) sur le comportement, et tout nouveau comportement le moindrement significatif amène aussi des changements intérieurs.

Chapitre 3

Les étapes du traitement du burnout:
le retour à la vie «normale»

> *Quelles sont les étapes du traitement du burnout?*

Il n'existe pas de protocole de traitement dûment approuvé que tous les psychologues appliqueraient à toutes les personnes souffrant d'épuisement. On observe cependant que le retour à la santé de toute personne épuisée passe par neuf étapes relativement définies, qui se chevauchent et s'entremêlent à l'occasion. Les voici, sous forme de tableau.

Les étapes du traitement du burnout

1. Accepter la convalescence.

Accepter le congé de maladie, lâcher prise par rapport au travail, prendre du repos, prendre soin de soi. Plutôt que de chercher à résister davantage, on constate qu'on n'en peut plus. Et on finit par l'accepter.

2. Accepter «l'échec».

Non seulement doit-on prendre du temps pour se reposer et refaire ses forces, mais on doit également admettre qu'on ne retournera jamais plus dans l'arène pour gagner le combat qu'on livrait. On n'a pas été capable de tout faire et on doit l'accepter, car la bataille est perdue. Compte tenu de notre stratégie de lutte et de la taille de «l'ennemi», *la bataille était perdue d'avance*. Ici, le fait de savoir qu'on a été remplacé par deux ou trois collègues se révèle assez souvent bénéfique pour le moral: c'est bien la preuve, la tâche était grande!

3. Accepter l'affront.

On a peut-être subi un échec, mais on n'est pas le seul coupable! À cette étape, les personnes en burnout vont beaucoup se plaindre de tout ce qui n'avait pas de sens au travail: la tâche immense, les directives stupides, les injustices, le manque de ressources, les exigences impossibles à remplir, etc.

Ensuite, selon leur perception des choses et leur personnalité, les épuisés vont poursuivre leur démarche en prenant surtout la direction de l'inverti ou surtout celle du converti, en s'inspirant de l'une et de l'autre, à des degrés divers.

Le converti

4. Réprimer sa douleur.

Ici, on réalise à quel point les patrons ou les collègues se sont montrés déloyaux ou «pas corrects» envers nous. On décide alors qu'on ne laissera jamais plus personne abuser de nous. On pense à nos stratégies et on prend de solides résolutions afin d'affermir notre droit de dire «non», en nous appuyant sur diverses formes de contrôle extérieur ou de justification: la Commission des normes du travail, notre convention collective ou, plus simplement, ce qu'il est généralement admis qu'on peut refuser de faire quand on travaille dans un poste comme le nôtre.

L'inverti

4. Exprimer sa douleur.

Peu à peu, le cheminement mène vers l'intérieur: on se voit moins de l'extérieur comme un être qui a échoué (*étape 2*), on se plaint moins des autres (*étape 3*), et on commence à dire «J'ai mal. Oh! combien j'ai mal!» C'est l'étape cruciale où on passe à l'intérieur, ici, maintenant. C'est aussi au cours de cette étape que l'on comprend à quel point on a bien fait de consulter une personne qui peut nous *accompagner* dans notre souffrance, sans nous juger.

Le converti

5. Comprendre.

On prend du recul, on essaie de comprendre ce qu'on a «mal» fait, ce que l'employeur a mal fait, et on se demande comment éviter de commettre les mêmes erreurs. Comment refuser telle ou telle tâche, comment arriver à quitter le bureau à une heure raisonnable, comment se comporter avec tel collègue ou tel client, comment se donner des conditions concrètes (secrétariat, ordinateur, etc.) plus satisfaisantes, comment répondre au patron quand il nous donne des directives contradictoires, comment établir nos priorités et s'y tenir, comment mieux gérer notre temps et mieux s'organiser, comment éviter la culpabilité ou la frustration, etc.

L'inverti

5. Comprendre.

La douleur actuelle nous mène à la souffrance passée, aux vieilles blessures. On prend mieux conscience de toutes ces «injonctions» auxquelles on a appris à obéir pour toutes sortes de raisons, le plus souvent liées à la peur du rejet. On cherche à savoir ce qui s'est passé, pourquoi on a tant voulu réussir, pourquoi on s'est oublié, pourquoi on a négligé d'autres aspects de notre vie pour se consacrer presque entièrement au travail (ou pourquoi on n'a renoncé à rien, ce qui a eu pour effet de nous coincer de partout).

Cette démarche peut être plus ou moins profonde, selon les gens. Elle se fait toujours en relation avec ce qui se passe *maintenant*.

Le converti

6. «Travailler»
   ses dépendances.

Sur le plan affectif, notre nouvelle loi deviendra: «Si vous êtes de mon côté, tant mieux. Sinon, tant pis, je peux me passer de vous.» On commence à penser qu'on évitera le plus possible de travailler avec des gens qu'on n'aime pas. Notre sens du devoir inclura de prendre soin de nous et on le traduira concrètement dans le quotidien, par un nouveau dosage de nos responsabilités de travail. Notre dépendance financière restera souvent la même, mais on considérera nos besoins d'argent comme légitimes: «Je ne vais pas en plus renoncer à ce que j'ai!» (C'est un danger.)

L'inverti

6. «Travailler»
   ses dépendances.

On comprend davantage pourquoi on tient tant à l'approbation des autres, en particulier à l'approbation de l'autorité; on saisit mieux d'où vient cette dépendance; on considère l'individu en autorité non plus comme un «patron», mais plutôt comme une «personne», et on se demande quel lien on veut désormais entretenir avec cette personne. On essaie d'établir le rôle de l'argent dans notre vie en fonction de nos autres objectifs, de nos liens avec nos proches; on apprend à voir l'argent comme un moyen plutôt que comme une fin.

Le converti

7. Se préparer
au retour au travail.

On prend nos nouvelles résolutions, on étudie les nouvelles lois qu'on veut faire respecter (par exemple, on ne fera plus d'heures supplémentaires), on reprend courage en sachant que, désormais, on ne laissera plus les autres nous exploiter. On s'organise pour travailler de façon efficace et responsable, mais en fixant nous-même les objectifs de notre travail ainsi que les limites que les autres et nous-même devrons respecter. Voulant désormais faire respecter «notre» loi plutôt que d'obéir à celles des autres, on reste cependant sur la défensive.

L'inverti

7. Intégrer les différents «morceaux» de sa vie.

Le «deuil» du passé et une meilleure compréhension de soi-même mènent à une nouvelle perception de soi et de la vie. On se demande quelle place on désire désormais donner à nos proches, au travail, à la spiritualité, aux loisirs, à la création, etc. La perspective d'un retour au travail s'inscrit dans cette démarche d'intégration de diverses composantes, gérée de *l'intérieur*. La question qui se pose est de savoir comment se réaliser au travail, et non comment résister à l'adversaire ou le convaincre qu'il a tort.

Le converti

8. Reprendre le travail.

Le retour au travail est marqué par un rapport de forces. Converti, on revient «armé», on peut maintenant se défendre, ou on se sent fort et on peut davantage imposer notre vision des choses. Ou bien, quand c'est possible, on a «compris» qu'il n'y avait rien à faire et qu'il valait mieux prendre une retraite anticipée ou quitter notre emploi.

L'inverti

8. Reprendre le travail.

L'acceptation ou le refus de certaines tâches, le retour au travail à notre poste ou à un autre poste, et même un changement de carrière ou une retraite, tout se fera en fonction d'un désir intérieur de vivre *notre* vie, et non en fonction de nouvelles lois qu'on se serait imposées.

Le converti

9. Maintenir
ses résolutions.

La confrontation avec la réalité du travail à notre ancien poste (ou à un nouveau poste) va probablement ébranler quelque peu nos bonnes résolutions. Le monde du travail n'obéira pas parfaitement à nos nouvelles lois, et on aura donc à faire des compromis si on ne veut pas que ce soit la guerre à chaque seconde. Et puis, on réalisera aussi qu'il y avait des avantages à la vie «d'avant». Un sauveur a bien du mal à résister longtemps à son désir de sauver; un grand travailleur finit par se sentir mal de refuser encore et encore de livrer la marchandise; il devient vite difficile à un minutieux de laisser du travail ou de travailler moins bien. Un

(suite page 199)

L'inverti

9. Poursuivre le
développement personnel.

Quelques mois de congé de maladie et de «travail» d'introspection ne suffisent pas à établir définitivement de nouvelles attitudes et de nouvelles façons de vivre sa vie. Le retour «à la normale» va permettre de déterminer jusqu'à quel point on a changé, et ce qu'il reste à faire pour continuer à se développer. Le corps a récupéré de sa «brisure», mais il restera fragile pendant quelques mois encore; on connaît aussi mieux nos «fragilités» psychologiques, mais on verra dans quelle mesure on peut demeurer soi-même tout en mettant de l'avant ce qui nous est apparu prioritaire. On a cependant développé un atout majeur: on s'est donné

(suite page 199)

Le converti

courageux n'aura pas toujours appris à mieux faire face à ce qui le tue, ou il n'aura pas toujours réussi à changer de poste. Ici, on arrivera à faire un compromis sain entre, d'une part, les demandes de l'entreprise ainsi que les besoins ou dépendances personnels qui nous avaient mené à l'épuisement, et, d'autre part, ce nouveau besoin de résister à ces pressions intérieures et extérieures; ou encore on passera à une stratégie plus «invertie», moins légaliste, qui tiendra mieux compte de nous.

L'inverti

le droit de changer, on n'est plus condamné à «obéir» à tout ce qui nous semblait obligatoire auparavant. Néanmoins, la tendance à retomber dans les mêmes pièges sera forte, et c'est pourquoi il vaudra mieux se montrer vigilant: on se servira des difficultés pour se développer encore et toujours, plutôt que pour retomber dans nos dépendances. (Le développement a ceci de particulier qu'il n'est jamais terminé, et toute nouvelle situation peut ainsi contribuer à nous amener plus loin sur *notre* voie.)

> *La démarche de l'épuisé le ramène-t-elle toujours à son histoire personnelle?*

Même si toute démarche psychologique implique un minimum de retour sur le passé, le converti y reviendra beaucoup moins que l'inverti qui, lui, va se demander: «Qui suis-je, pourquoi ai-je eu (et ai-je encore) si peur de décevoir, pourquoi est-ce que je désire tout ce prestige, pourquoi est-ce que je tiens tant à ce que tout soit toujours parfait, *qu'est-ce que je veux vraiment?*»

Pour être en mesure de répondre à ces questions, il va à peu près toujours devoir s'ouvrir à de vieilles souffrances qu'il croyait cicatrisées — ou qu'il voulait garder bien refoulées. Derrière le héros perfectionniste qui garde le contrôle sur tout ou qui se «sacrifie pour l'honneur», il découvrira un être fragile ayant peur des reproches et ayant besoin d'être aimé. Cet être fragile, «imparfait» à ses yeux, il avait appris à le détester, et c'est pourquoi il a tout essayé pour le faire disparaître de sa vue et de celle des autres. Il apprendra à l'aimer; il apprendra à *concilier* sa force et sa fragilité plutôt que de les *opposer* l'une à l'autre comme il le faisait depuis si longtemps. C'est vrai, il ne sera jamais plus la même personne, et c'est tant mieux!

Mais attention, ce n'est pas la fin de l'histoire, car le film continue! Même plus conscient de lui-même, même après avoir refait ses forces, le danger est grand que l'inverti ne retombe dans le panneau. On peut considérablement réduire l'effet néfaste de nos vieilles blessures en acceptant de les soigner; elles nous contraignent alors beaucoup moins à des choix malsains dans la majorité des situations quotidiennes, mais les cicatrices demeurent: si les situations se corsent au-delà d'un certain point, nos vieux penchants risquent fort de refaire surface.

Or, le monde du travail, lui, n'a pas changé et, on l'a vu, il est très fréquent que les situations y soient, à première vue, très corsées: même si ses injonctions intérieures à tout prendre sur son dos sont moins grandes, comment l'inverti va-t-il répondre à la demande? Aura-t-il vraiment le courage de laisser sereinement les autres se débrouiller seuls parce qu'il a choisi de vivre autrement? Sinon, comment arrivera-t-il à concilier son désir d'aider les autres et ce qu'il a décidé de mettre en priorité (sa santé, sa famille, sa vie intérieure, son désir de créer, etc.)?

De plus, pour changer profondément ce type d'attitude, non seulement doit-on guérir intérieurement, mais on a aussi besoin de plusieurs années «d'entraînement» aux nouvelles façons de voir et d'agir. C'est là toute la différence entre un changement d'attitude et une bonne résolution.

En pratique, la plupart des changements personnels durables se révèlent le plus souvent assez longs à mettre en place; quand on veut changer des choses importantes dans notre vie, il est utile de savoir dès le départ qu'il y aura bien des «rechutes» dans nos «mauvaises habitudes». Même si, dans les livres, les gens ont l'air d'avoir changé dès qu'ils ont «compris» ce qu'ils devaient faire, dans les faits, il n'en est rien. On ne change pas: on se transforme. *Ça prend du temps.*

› *Le soutien professionnel est-il nécessaire **après** le retour au travail?*

Dans la plupart des cas, le retour au travail est progressif: par exemple, l'ex-épuisé travaille un, deux, puis trois jours par semaine pendant quelque temps, avant de reprendre son horaire régulier. Pendant la période de retour progressif, le médecin justifie le congé de maladie (pour les jours de répit), et il rencontre son patient régulièrement pour vérifier que le retour au travail qu'il a autorisé s'effectue sans réapparition des symptômes, ainsi que pour réduire la médication, quand cela devient indiqué.

S'il y a eu consultation en psychologie, les entrevues se poursuivent encore un moment après le retour au travail, jusqu'à ce qu'on se soit assuré que la situation est relativement sous contrôle.

Certaines personnes poursuivent même plus longtemps leur démarche, parce que la psychothérapie les a ouvertes à elles-mêmes et qu'elles souhaitent faire encore un bout de chemin pour mieux se connaître ou résoudre certaines difficultés qui ne sont pas exclusivement liées au travail (les relations conjugales ou familiales, par exemple), ou qui sont davantage les causes de la mésadaptation au travail que ses conséquences: le rapport à l'autorité, la capacité de prendre sa place, les abus de pouvoir, le «prix» de l'amour et de l'appréciation, les besoins d'expiation des fautes du passé, la confiance en soi, l'estime de soi, etc. Les problèmes de travail ne sont pas indépendants du reste de notre vie: d'une certaine façon, on transporte toujours un peu toute sa vie avec soi et les problèmes qu'on n'a pas réglés risquent fort de revenir, un jour ou l'autre, sous une forme ou sous une autre.

Il est aussi assez fréquent que les ex-épuisés reprennent une courte série d'entrevues avec leur psychothérapeute à l'intérieur des deux années qui suivent leur retour au travail, pour consolider les attitudes de santé qu'ils avaient commencé à développer pendant leur traitement. Quand leur nouvelle routine s'est installée, ils deviennent, en effet, moins vigilants et il leur arrive plus souvent de «délaisser» les bonnes habitudes qu'ils avaient mises de l'avant. Mais cette fois, ils ont appris à prendre du recul, à «se voir aller»; ils ont aussi le goût de persévérer dans les choix de vie plus sains qu'ils ont faits, et ils s'occupent d'eux-mêmes bien avant que leur état de santé ne se détériore. C'est sans doute là l'un des gains les plus précieux qu'ils auront retiré de leur première série de consultations.

> ### Après son traitement, la personne qui a fait un burnout peut-elle réintégrer son poste et y être heureuse?

Plusieurs y parviennent, mais il n'existe pas de règle générale. Parfois, la personne qui s'est vraiment transformée intérieurement ou celle qui veut simplement éviter la rechute se doivent de changer d'emploi et de renoncer à bien des choses qui, autrefois, les fascinaient: gros salaire, pouvoir, luxe, prestige, renommée, etc. Je pense ici à une femme-épouse-mère de famille qui occupait un poste de haut niveau au siège social de l'une de nos sociétés d'État. C'est le type d'emploi qui peut facilement nous occuper 24 heures par jour et, par définition, il ne convient pas à des personnes qui veulent faire autre chose de leur vie que travailler. Après son burnout, elle a quitté cet emploi non pas parce qu'elle croyait n'avoir pas la compétence pour l'assumer, mais parce qu'elle ne *voulait* plus le faire, compte tenu de ce qu'elle aurait dû négliger pour y arriver. Elle a trouvé un emploi plus «modeste» chez le même employeur.

C'est là une conclusion d'invertie: «Je quitte mon poste non pas parce que je ne suis pas assez compétente pour en assumer la charge, mais parce qu'il me paraît incompatible avec la façon de vivre que j'avais choisie et dont je me suis éloignée peu à peu sans trop m'en rendre compte, en investissant toujours plus dans mon travail.» Dans ce cas, on revient à des choix de vie antérieurs, dont notre surinvestissement de temps et d'énergie au travail nous avait éloigné.

Mais il arrive aussi que l'épuisement coïncide avec l'une des remises en question fondamentales que nous sommes tous appelés à faire durant notre vie. On n'est alors plus seulement devant un simple besoin de réajustement à la même tâche ou devant un besoin de revenir à nos choix de vie antérieurs, mais on se retrouve devant un besoin de changement profond vers du nouveau, devant une *transition*, notion qui a été très bien explorée et expliquée par Michèle Roberge [20]. Quand tel est le cas, en plus de ressentir les symptômes du burnout dont nous avons déjà parlé, on se sent aussi très désorienté, on se sent «errant» et une aide professionnelle peut se révéler très précieuse pour nous aider à supporter ce vide qu'on ressentira jusqu'à ce qu'une nouvelle voie se dessine. On sent très bien qu'on ne peut plus continuer dans la même voie, mais on ne sait pas encore ni où ni comment on va poursuivre notre vie. Tout ce qu'on sait, c'est qu'on doit changer des choses, des choses très importantes.

> *Quoi, par exemple?*

Plusieurs personnes vont ici non seulement laisser leur emploi mais aussi changer de carrière ou, à tout le moins, changer assez radicalement leur façon de l'aborder. Je pense

20 ROBERGE, Michèle: *Tant d'hiver au cœur du changement. Essai sur la nature des transitions*, Éd. Septembre, collection Libre cours, Sainte-Foy, 1998.

par exemple à un administrateur qui a laissé la fonction publique pour acheter et gérer une boutique de sport, ou encore à nombre d'infirmières qui sont devenues massothérapeutes. L'épuisement et la réflexion peuvent aussi être l'occasion de prendre conscience d'une transition qui se révèle nécessaire dans la vie personnelle: on passe du célibat à la vie de couple, on laisse son conjoint, on sent que le temps est venu d'avoir un premier enfant ou de consacrer beaucoup plus de temps à ceux qu'on a déjà, on dégage beaucoup de temps pour actualiser un besoin d'écrire ou de peindre ce qu'on ressent depuis très longtemps, on développe sa vie spirituelle, on retourne aux études, on quitte la ville pour aller vivre loin à la campagne, on prend sa retraite de façon très anticipée, etc. La transition marque une rupture avec ce qui était notre mode de vie; par elle, on accède à des parties de nous-même qu'on avait plus ou moins ignorées et développées jusque-là.

Bien que tous les épuisements constituent des périodes de crise, ils ne coïncident cependant pas tous avec ces moments de remise en question fondamentale des choix de vie. Beaucoup d'ex-épuisés reprennent simplement leur poste, qu'ils ne jugent pas inconciliable avec une vie saine; mais, pour éviter la récidive, ils devront changer d'attitude et s'y montrer plus fermes, plus «raisonnables», plus stratégiques; ou plus libres, légers et joyeux, ce qui constitue une autre façon de changer d'attitude: «On traversera le pont quand on sera rendu à la rivière; d'ici là, voyons ce qu'on peut faire tout en gardant le sourire.»

Qu'on choisisse de réintégrer notre poste ou de le quitter, on aura des changements à apporter; au moins dans nos attitudes et nos comportements, sinon dans notre projet de vie.

> **Si on s'est épuisé alors qu'on occupe un emploi «ordinaire», doit-on surtout s'interroger sur nos attitudes?**

L'épuisement — et l'équilibre — ne sont pas *exclusivement* des questions d'attitudes, mais ils en dépendent *beaucoup.* On peut parler des exigences extérieures qui augmentent sans cesse, mais on peut aussi parler de la maladie de l'argent, de l'ordre, du contrôle, du devoir parfaitement accompli, du pouvoir, ou encore du besoin maladif d'être apprécié à tout prix. Il existe des personnes moins immunisées que d'autres contre l'une ou l'autre de ces «maladies» et qui, peu importe leur emploi, vont trouver le moyen d'en faire plus que nécessaire... comme elles le font déjà à la maison, avec leurs parents et amis, ou dans leurs études.

Souvent, après avoir «travaillé» cette attitude «d'esclave des choses à faire» en psychothérapie, ces personnes constatent à leur retour au travail que les exigences qu'elles percevaient comme extérieures à elles-mêmes relevaient bel et bien de *leur* trop grand désir de bien faire; elles se découvrent alors un pouvoir de négociation avec elles-mêmes et avec les autres dont elles n'auraient pas soupçonné l'existence quelques mois plus tôt. S'amorcent alors des redéfinitions de leur relation au travail, aux collègues, aux supérieurs ainsi qu'à elles-mêmes, qui confirment et accentuent sans cesse ce pouvoir nouvellement acquis, autant au travail que dans leur vie personnelle.

Je pense ici à un professeur qui s'était opposé de toutes ses forces aux changements imposés par son directeur d'école à la suite de compressions budgétaires. Depuis son retour au travail, plutôt que de poursuivre le combat contre les nouvelles règles du jeu à l'école ou contre son directeur qu'il voulait auparavant amener à changer d'idée ou à démissionner, plutôt que de penser continuellement à tout ce qui pourrait être mieux, il se contente d'enseigner du mieux qu'il peut avec les moyens dont il dispose. «C'est déjà assez difficile d'enseigner dans les conditions qui sont désormais les nôtres, je ne vais pas en plus me mettre sur le dos de changer mon directeur, la commission scolaire, le ministère de l'Éducation et le gouvernement.» Pour lui, l'essentiel, c'est dorénavant la partie de son enseignement sur laquelle il peut exercer de l'influence, et non les structures sur lesquelles il n'a pas vraiment de pouvoir. C'est d'avoir du plaisir avec ses élèves et c'est aussi d'être enfin capable de penser à autre chose et de faire autre chose quand il n'est pas à l'école.

> *Au sortir d'un burnout, qu'auront en commun le converti et l'inverti?*

Au minimum, ils auront tous deux changé d'attitude vis-à-vis du travail. Ils ne placeront plus l'entreprise ou le boulot à accomplir au centre de leur vie. Leur but dans la vie ne sera plus le succès de l'entreprise ou leur propre réussite professionnelle, et leur crainte ultime ne sera plus la faillite de la compagnie, une baisse de leurs revenus, ou encore leur incapacité à «livrer la marchandise» et à faire parfaitement leur devoir. Si peur il y a, ce sera plutôt celle d'une éventuelle rechute dans la dépression. *Leur principal centre d'intérêt se sera déplacé du monde du travail vers leur propre personne.*

Ces individus s'occuperont davantage d'eux-mêmes et de *l'ensemble* de leurs besoins, avec, cependant, des visions et des façons de faire très différentes à certains égards.

Aussi, et surtout, ils ne laisseront plus leur estime d'eux-mêmes dépendre essentiellement de leur rendement ou de leurs réalisations au travail.

Tout ceci, cependant, n'exclut pas divers regrets concernant certains des avantages qu'offrait l'ancienne façon d'être et de se comporter au travail: fréquents emballements, frénésie presque constante, luxe, prestige, pouvoir, sentiment de sauver le monde, d'être celui qui a raison, solidarité avec d'autres opposants dans la lutte contre le «nouveau régime», etc.

On ne peut pas s'en sortir vraiment sans lâcher prise sur un certain nombre de choses auxquelles on tenait.

> *Ce changement d'attitude affectera-t-il seulement leur relation au travail, ou considéreront-ils aussi différemment d'autres aspects de leur vie?*

Un véritable changement d'attitude se manifeste partout. Un conjoint et des enfants plus ou moins délaissés depuis des mois et des mois par un intoxiqué du travail nourrissent généralement beaucoup de ressentiment à son égard. Quand le burnout survient, malgré l'amour qu'ils éprouvent envers lui, ils ont quand même sur les lèvres la phrase accusatrice par excellence: «On te l'avait bien dit!»

Aussi, quand l'individu ayant souffert de burnout reprend l'ensemble de ses activités, et parfois même durant sa convalescence, il est tentant pour ses proches de lui demander de rattraper le temps perdu, d'exiger qu'il leur consacre beaucoup plus de temps qu'avant: parfois pour qu'il répare ses «fautes» du passé, parfois parce qu'ils ont eu du plaisir à le retrouver et qu'ils ne veulent pas le voir disparaître à nouveau, parfois pour les deux motifs.

Malgré la culpabilité qu'il peut encore ressentir, l'ex-épuisé ayant changé d'attitude ne tombera pas dans le piège de l'expiation. Le converti se dira tout naturellement qu'il ne sert à rien de sortir d'un burnout pour plonger dans un excès de zèle envers la famille. Autrement dit, il refusera désormais de vivre quelque excès de manière prolongée, et il sera fort probablement plus «égoïste». Avec les mois et les années, cependant, ce repli sur soi s'atténuera quelque peu, et il atteindra un nouvel équilibre. De son côté, l'inverti déterminera comment il souhaite vivre sa vie familiale et la place qu'il veut lui accorder dans l'ensemble de sa vie, de la même manière qu'il établira celle qu'il veut donner au travail, aux loisirs, à l'argent, etc.

En règle générale, l'inverti et le converti consacreront beaucoup plus de temps à leur vie familiale; mais ce sera plus par choix et par plaisir que par «devoir». Ayant réduit leurs propres exigences envers eux-mêmes, ils se montreront aussi beaucoup moins sévères envers leurs proches, ce qui rendra la vie familiale plus agréable.

> *Avant de tomber au combat, les épuisés du travail se montraient-ils tout aussi dévoués envers leur famille et leurs amis qu'envers leur employeur?*

Oui, à l'exception peut-être du «courageux» et de certains «ambitieux» dont le dévouement envers les autres est parfois moins marqué. On revient ici à la question des attitudes. Si vous voulez sauver l'entreprise, vous voulez aussi sans doute sauver votre conjoint, vos enfants et vos amis. Si vous tenez à ce que tout soit parfait, tout devra probablement être parfait à la maison aussi. Si vous êtes un travailleur acharné, vous vous acharnerez également à la maison, et pourquoi ne disposeriez-vous pas d'un chalet, pour vous acharner là aussi? Si vous croyez qu'il faut faire beaucoup pour être aimé, vous en ferez beaucoup à la maison et pour les vôtres. Si vous avez un sens aigu du devoir au travail, c'est probablement aussi le cas dans votre vie personnelle. Si vous poussez dans le dos de vos collègues ou de vos subalternes, vous poussez aussi dans le dos de votre partenaire de vie et de vos enfants. Si vous prenez tout sur vos épaules... vous prenez *tout* sur vos épaules.

Mais il n'y a que 24 heures dans une journée. Alors, au cours des mois ou des années qui précèdent le burnout, on reproche souvent à ces futurs épuisés de ne pas tenir leurs engagements familiaux ou autres à cause du travail, et, aussi, de ne pas être vraiment présents en esprit même quand ils le sont physiquement. Ce sont les gens à qui le conjoint dit trop souvent à leur goût: «Tu ne m'écoutes jamais quand je te parle!» et qui répondent: «Oh, c'est à cause du nouveau contrat, je crois qu'on a oublié d'inclure la clause 117b. Au fait, je ne pourrai pas être au spectacle de fin d'année de Maxime; il a 10 ans maintenant, je suis sûr qu'il va comprendre: il faut absolument que je parte vendredi après-midi pour Toronto.»

Ils se montrent donc tout à fait responsables envers les membres de leur famille, mais la tâche qu'ils se donnent consiste à combler les leurs de biens matériels et à assumer le minimum du train-train quotidien: ils n'ont pas beaucoup de temps pour écouter leurs enfants ou leur conjoint, et leur tête est souvent ailleurs quand ces derniers leur parlent. Et il ne faut quand même pas exagérer au point de leur demander de prendre le temps de jouer! Ce n'est cependant pas l'envie d'être proche des leurs qui fait défaut: c'est le temps et l'énergie, ce temps et cette énergie qu'ils consacrent au travail en croyant ne pas avoir le choix.

> ### Le burnout des hommes et celui des femmes s'expliquent-ils par des investissements comparables dans la vie familiale et dans le travail?

Non. Contrairement au père de Maxime, sa mère assistera fort probablement au spectacle de son enfant, qu'elle soit ou non près de l'épuisement. C'est là une différence importante: en général, les hommes s'épuisent en faisant du travail leur priorité numéro 1, alors que l'épuisement d'une majorité de femmes, quoique lié en grande partie au travail, dépend aussi beaucoup de leur dévouement — ou de leurs exigences — envers la famille.

> ### Le danger d'«échanger un abus pour un autre», si on peut dire, serait donc plus présent chez la femme que chez l'homme?

Si on parle du danger d'en faire trop pour les enfants, le conjoint, et tout ce qui concerne la vie familiale, je réponds oui. Les nouvelles normes sociales suggèrent sans doute une répartition égale des tâches entre les conjoints en ce qui a trait à l'éducation des enfants et à l'entretien de la maison, par exemple; mais il reste qu'à un niveau profond, les gens croient toujours que c'est à la femme que revient la responsabilité ultime de bien éduquer «ses» enfants, de maintenir «sa» relation conjugale au beau fixe et d'entretenir «son» plancher ou «ses» armoires de façon impeccable. Dit autrement, sauf exception bien sûr, c'est encore la femme qui a honte si tout n'est pas parfait à la maison ou dans la vie familiale.

Et, dans les faits, une majorité de femmes acceptent encore, plus ou moins consciemment, d'assumer psychologiquement et pratiquement ces énormes responsabilités, ce qui fait de la mère de famille une candidate par excellence à une forme ou une autre d'épuisement.

De plus, dans les professions qui ne sont pas «traditionnellement» féminines, il est encore beaucoup plus difficile pour une femme que pour un homme de «faire ses preuves», ce qui n'est pas peu dire! Malgré les apparences, le monde du travail est resté très injuste envers les femmes: non seulement en ce qui a trait aux salaires, comme c'est bien connu, mais aussi en ce qui concerne le «prix» qu'elles doivent payer pour être reconnues à leur juste valeur. Par exemple, presque tout le monde pense encore que «le» secrétaire du ministre est plus important que «sa» secrétaire, même s'il s'agit du même poste.

Cela dit, la pression que les hommes vivent au travail est elle aussi énorme, car on s'attend à ce qu'ils n'aient rien d'autre à faire que de se tuer à la tâche. Les hommes ont beaucoup de mal à justifier que le fait de vouloir profiter d'une soirée avec leur famille soit suffisant pour refuser de faire des heures supplémentaires, alors que la compagnie a «tellement besoin d'eux». Et, évidemment, il y a l'argent supplémentaire lié à ces heures travaillées en dehors de l'horaire régulier...

Autre point important: l'estime de soi est en général moins grande chez les femmes que chez les hommes, chez qui elle n'est pourtant pas très élevée même s'ils arrivent mieux que les femmes à le cacher. La tendance des femmes à tout faire pour ne subir aucun reproche est terriblement grande; le monde du travail étant devenu ce qu'il est et la vie quotidienne à la maison s'étant compliquée à outrance, la peur des reproches ou du rejet constitue donc aussi une grande source de stress pour les femmes.

> *La vie familiale ne s'est-elle pas au contraire sim-*
> *plifiée grâce à tous ces nouveaux appareils qui*
> *rendent les tâches ménagères plus faciles à*
> *accomplir?*

Autre mythe tenace que celui-là. Comment peut-on être aveugle au point de croire que la vie s'est simplifiée grâce aux progrès technologiques alors que, *dans les faits*, elle s'est au contraire horriblement compliquée? N'est-ce pas notre *expérience quotidienne* que de courir? Plutôt que de voir ce qui se passe, nous préférons croire ce qu'on nous dit! C'est ainsi qu'on arrive à penser que «la vie est tellement plus simple depuis qu'on dispose de fours à micro-ondes».

La recherche crée moins les nouvelles technologies *pour* nous simplifier la vie que *parce que* notre vie est compliquée. Qu'est-ce qu'on simplifie si on «doit» maintenant faire deux lessives par jour avec notre machine automatique? Si on a la chance de travailler chez soi 24 heures par jour grâce à un relais informatique? Si on n'a plus le temps de cuisiner même si on dispose d'un four à micro-ondes? Si on se tue au travail pour payer une maison qui «demande» trois fois plus d'entretien qu'un appartement? Peut-on sérieusement qualifier de «libre» le temps qu'on gagne grâce au fait que nombre d'épiceries restent maintenant ouvertes toute la nuit?

On se lève le matin *parce qu'il le faut*, et on se couche le soir *parce qu'il le faut* en se disant *qu'il faut* dormir, après avoir terminé une multitude de corvées *qu'il fallait* accomplir, tout en se résignant à en laisser d'autres dont *il aurait fallu* venir à bout. Si on veut se simplifier la vie, ce n'est pas d'un magnifique robot qui ferait le ménage tout seul dont on a besoin: *c'est de changer de mode de vie.*

> Comment peut-on accéder à ce mode de vie plus simple?

La simplicité, c'est d'abord un *état d'esprit.* On ne peut le développer qu'en renonçant à la vie d'esclave qu'on a adoptée: esclave du travail, esclave du devoir, esclave de nos enfants, esclave de l'argent, esclave de la performance en toutes choses, esclave de notre besoin de tout contrôler, esclave de tout ce que la technologie nous offre, etc., esclavage qui fait qu'on n'a pas deux secondes pour nous. C'est cette servitude aveugle qui nous porte à sombrer plus profondément dans l'épuisement au moment où on réalise qu'on perd nos forces, alors qu'il serait encore temps de choisir la santé.

Ce n'est que lorsqu'on a adopté la simplicité comme *état d'esprit* et comme *style de vie* que les nouveaux gadgets nous permettent non pas de simplifier notre vie, mais *d'entretenir* le style de vie plus simple dans lequel on a retrouvé notre joie de vivre.

Sans ce changement profond d'attitude, toutes les innovations maintenant «indispensables» ne font que nous *priver* davantage du plaisir de vivre le quotidien, qu'on a transformé en une série interminable de corvées. Les «merveilles» de la technologie moderne nous permettent sans doute d'accomplir ces «tâches» moins péniblement, mais est-ce vraiment d'une vie moins pénible dont on rêve?

La joie de vivre appartient au quotidien. Si on vit de façon à ne plus avoir le temps de laver la vaisselle, on ne retrouvera certainement pas notre plaisir de vivre grâce à un lave-vaisselle — et encore moins grâce à un lave-vaisselle plus performant que celui dont on dispose, si on en a déjà un! Donnons-nous *d'abord* le temps de vivre. On pourra alors davantage profiter des gadgets qui nous sont offerts... si on les désire encore.

On s'épuise en grande partie parce qu'on est dépendant d'un style de vie qui nous prive de notre quotidien et nous fait remettre la joie de vivre à plus tard, «quand on aura terminé».

C'est-à-dire jamais.

On n'a plus de vie: on a «une job» à plein temps! C'est-à-dire que, où qu'on soit, on consacre tout notre temps à faire des choses que l'on considère pénibles et nécessaires.

Alors, si on réfléchissait non pas à des façons d'arriver à tout faire moins péniblement, mais à des moyens de désencombrer notre vie et notre cerveau de ce qui nous vole notre vie?

Chapitre 4

La fatigue:
comment rester vigilant

> *Une fois guéri et de retour à la vie «normale», est-on davantage à l'abri de la fatigue qui nous avait mené à l'épuisement?*

La guérison nous permet de récupérer une énergie suffisante pour reprendre nos activités, et ce retour de nos forces nous fait un immense bien. Par contre, si on en profite pour reprendre la même vie qu'avant, les symptômes qui nous avaient terrassé jusqu'au burnout vont évidemment revenir. C'est pourquoi le traitement du burnout devrait amener non seulement la guérison sur le plan médical, mais aussi des changements importants dans la façon de penser et de vivre. La guérison du burnout ne met donc personne à l'abri de la fatigue, envers laquelle il convient de rester très vigilant.

> *Comment peut-on éviter cette fatigue (ou comment peut-on en récupérer)?*

La dépense d'énergie est la source de fatigue la mieux connue: on évite cette fatigue ou on en récupère en se reposant et en diminuant la quantité totale d'énergie qu'on dépense jour après jour. Si on n'en abuse pas, l'exercice physique s'avère également d'une aide précieuse, dans la mesure où on s'accorde *aussi* du repos.

On sait moins que la fatigue peut aussi venir de la routine. On éteint en effet notre énergie «intérieure» quand on fait uniquement et continuellement des choses qui nous assomment. Quand on se consacre surtout à ce qu'on aime, au contraire, *on a le goût de faire des choses*: ce goût de vivre nous *donne* de l'énergie, si on sait s'arrêter à temps. Par exemple, on constate facilement que les enfants sont plus énergiques le matin quand il est temps d'aller à la pêche que lorsqu'ils doivent se lever pour aller à l'école. Les adultes aussi...

Se ressourcer, c'est se donner de l'énergie: faire la grasse matinée avec le conjoint et les enfants, passer du temps avec des gens qu'on aime beaucoup, lire des ouvrages inspirants ou des romans captivants, jouer, marcher en forêt, faire du sport, créer (peindre, jouer de la musique, etc.), flâner dans une galerie d'art, prendre un long bain avec musique et chandelles, etc.; ce n'est pas nécessairement très exigeant, mais c'est autre chose que le simple repos, le sommeil ou l'oisiveté forcée.

> ### Est-il plus facile de se reposer ou de se ressourcer quand on est un candidat au burnout?

Si les candidats au burnout voient souvent le simple repos comme utile, sinon nécessaire, ils ne le voient presque jamais comme *invitant*. Et toujours le repos leur enlève de ce précieux temps qu'ils voudraient consacrer à «leurs» tâches pour enfin en venir à bout. Ils pensent non pas «"Je veux" me reposer!», mais «"Il faut" que je me repose!», c'est-à-dire... «"Il faudrait" que je me repose!», car ils ne choisiront pas de le faire.

Le ressourcement leur semble souvent plus attrayant: «Après tout, j'ai bien mérité ça!» Et puis, lire un roman en pyjama, c'est déjà se reposer, non? Prendre un long bain en écoutant de la musique vers 20 h 30, plutôt qu'une douche en vitesse à 6 h 15, c'est quand même plus relaxant, et ça incite souvent à terminer la soirée sans se remettre à la tâche. Lire un ouvrage sur la spiritualité plutôt que le dernier rapport de notre adjoint, ça permet aussi de mieux récupérer, tout en nous ouvrant à des choses vivifiantes. Regarder un film avec les enfants, ça peut également être drôle, tendre, et délassant.

Se ressourcer permet aussi de constater que la vie n'est pas essentiellement une condamnation à la course folle et à la misère qui s'ensuit, et qu'on peut quand même exercer un peu d'influence sur *notre* vie. Cela pourrait même nous inciter à *augmenter* cette influence dans la bonne direction...

➤ *Quel est le meilleur moyen d'augmenter cette influence qu'on pourrait avoir sur notre vie?*

C'est de changer notre façon même de considérer la vie, qui consiste essentiellement à voir des obligations partout et à croire qu'on n'a jamais le choix. Notre cerveau est continuellement en train de penser à des tâches, et même de tout transformer en tâches: «Il faut faire ceci ou cela», «Je dois accomplir ceci ou cela, et ensuite ceci et cela, car il faut... que je me repose et que je profite enfin de la vie: je n'ai pas le choix!»

Or, dès qu'on croit qu'il faut faire des choses particulières, c'est qu'on poursuit des objectifs ou qu'on a certaines craintes. Toujours, «il ne faut ceci que parce qu'on veut cela», ou «il ne faut ceci que parce qu'on a peur de cela». Si on accepte de se demander pourquoi il faut ceci ou cela, ou si on s'interroge pour savoir ce qui va vraiment se produire si on ne fait pas ceci ou cela soi-même, dans le délai prévu, aussi bien que prévu, etc., on pourra revenir à nos désirs et à nos peurs. Alors, plutôt que de se tuer à être à la hauteur de soi-disant obligations, on pourra réviser nos désirs ou nos façons de les réaliser, et on pourra commencer à réduire nos peurs: on pourra commencer à choisir consciemment ce qu'on veut faire, plutôt que de rester la victime de ce qu'on croit devoir faire. On se demandera moins comment arriver à faire ce qu'il faut faire que ce qu'on peut faire, dans chaque situation particulière, pour réaliser nos objectifs ou pour diminuer nos peurs.

On passe ainsi d'une vie remplie d'obligations à une vie remplie de possibilités. Parmi ces possibilités, il reste évidemment un certain nombre de choses qu'on prenait auparavant pour des obligations. Mais il y en a beaucoup moins et celles qui restent ne sont plus des obligations imposées de l'extérieur, mais des moyens qu'on *choisit* pour atteindre nos objectifs. Ce changement d'attitude, qui nous apprend à voir beaucoup de possibilités de choix plutôt qu'uniquement des obligations, a un impact très favorable sur notre tension et notre fatigue.

> *Y a-t-il d'autres sources de fatigue?*

Il en existe au moins une autre très importante, quoiqu'elle passe le plus souvent inaperçue: elle est liée à ce qu'on appelle *l'inhibition* des émotions, c'est-à-dire leur refoulement. Il faut en effet contracter fortement plusieurs muscles pour s'empêcher de pleurer, de «faire une crise» ou d'exprimer concrètement toute la violence qu'on ressent quand on est très frustré. Plus l'émotion est grande, plus les contractions musculaires nécessaires pour la refouler doivent être fortes et constantes. Les poings serrés, les mâchoires crispées, les points dans le dos ou dans la nuque, le front tendu, l'impossibilité de respirer profondément, l'impression d'avoir un poids sur les épaules, ou encore la crispation générale de l'organisme sont des indicateurs de cet effort physique qu'on fournit constamment pour retenir nos émotions.

Si on continue à vivre dans la culpabilité et la frustration tout en retenant nos émotions, ces dernières deviennent de plus en plus intenses: la force nécessaire pour les contenir doit augmenter en conséquence. De plus, contrairement à l'exercice physique qui amène alternativement à contracter et à décontracter nos muscles, l'inhibition maintient l'immense contraction musculaire (une contracture) sans vraiment permettre de relâchement; alors, à un moment donné, on explose. Puis, on se demande: «Qu'est-ce qui m'est arrivé?» Ces explosions inattendues de larmes ou de violence, ces «crises», font partie des signes précurseurs de l'épuisement.

Il arrive aussi que nos émotions refoulées refassent surface pendant des séances de massothérapie ou l'utilisation d'autres méthodes de décontraction musculaire: les muscles se relâchant, les émotions que leur contracture maintenait bien cachées peuvent revenir à la conscience. Ce bouleversement se manifeste par des pleurs, des tremblements, des sueurs, une angoisse profonde, etc.

On se soulage de la tension liée à l'inhibition en reconnaissant et en exprimant nos émotions, idéalement au fur et à mesure qu'elles se présentent. Cela suppose qu'on puisse ressentir nos émotions avant qu'elles n'aient pris une ampleur monstrueuse, c'est-à-dire qu'on se permette de prendre un minimum de temps pour être à l'écoute de soi. Mais, dans notre monde, il est devenu difficile de se réserver du temps: on a tellement d'autres choses à faire...

L'utilisation des méthodes de relaxation et de méditation se révèle très utile au développement d'une meilleure conscience de la vie corporelle et de la vie intérieure. Dans le cas où on sent qu'on s'enfonce dans le processus qui mène au burnout, cela nous permettra de délaisser quelque peu nos préoccupations pour l'extérieur (toutes ces tâches à faire et tout ce qui nous empêche de vivre) pour mieux écouter cette voix à l'intérieur de nous qui nous crie d'arrêter de nous détruire. Cette prise de conscience, on l'a vu, nous ramènera cependant à nos peurs, ce qui se révèle parfois difficile.

> **Les candidats au burnout, qui se plaignent abondamment de leurs difficultés, n'expriment-ils pas leurs émotions?**

Tout dépend du type de difficulté qu'ils expriment. Si on se plaint d'une difficulté *extérieure*, on n'exprime pas vraiment une émotion: on décrit plutôt des choses «pas correctes» et on en dénonce les responsables. Il y a en effet une grande différence entre dire: «Untel n'est pas correct», et «J'ai mal, je suis triste, je suis déçu, je suis fâché, je suis bouleversé, etc.» C'est le premier niveau de différence entre exprimer ses émotions et se plaindre: on utilise le mot «je» (plutôt que «tu» ou «ils»), et on parle d'une réalité *intérieure* qu'on ressent (plutôt que de juger les autres).

La seconde différence, c'est qu'on peut non seulement *dire* «J'ai mal», mais aussi *pleurer*. Quand le corps participe à l'expression de l'émotion, c'est signe que la force qu'on utilisait pour retenir cette émotion se dissout, du moins en partie: on cesse de «résister», on lâche prise, on se détend, même si ça peut faire mal. Quand on se plaint des autres plutôt que d'exprimer ce qu'on ressent, on reste au contraire crispé, quand on ne devient pas *plus* crispé qu'on ne l'était avant de nous livrer à nos litanies.

Si on se contente de se plaindre, on risque fort de continuer à le faire longtemps. Les plaintes viennent en effet de ce qu'on considère que c'est à l'autre qu'il revient de changer. (Dans le cas où on se plaint de soi-même, où on se sent soi-même coupable, on crée aussi des obstacles au changement, car on s'impose encore et toujours de faire de nouveaux gestes sans changer intérieurement. Comme on est le plus souvent incapable de maintenir ces changements, on se sent de nouveau coupable, et on reprend les mêmes résolutions.) Quand on exprime nos émotions, on se donne au contraire de l'espace intérieur, on établit un contact avec soi-même, et on peut plus facilement passer à une action qui soit en accord avec ce qu'on veut profondément. Le changement se base sur un nouveau choix, et non sur une nouvelle norme, un nouveau «il faut» ou un nouveau «il faudrait».

> *Parmi les sources de fatigue mentionnées ci-dessus, quelle est celle qu'on retrouve le plus chez les candidats au burnout?*

D'abord, la vie que les candidats au burnout s'imposent quotidiennement au travail et à la maison est terriblement exigeante sur le plan de la dépense d'énergie; mais, comme leur seule solution consiste à trouver les moyens de tout faire, ils *augmentent* les exigences de leur routine car, plus ils travaillent fort, plus on leur en demande: leur solution *amplifie* le problème! Ce problème grossissant toujours, ils se demandent d'autant plus comment ils vont parvenir à tout faire! Car ils doivent tout faire, ils ne croient pas avoir le choix. Alors, ils réduisent le repos en deçà du strict minimum (même s'ils devraient se reposer...), si bien qu'ils ne récupèrent pas de leur dépense d'énergie.

Ensuite, ils vivent constamment dans la frustration; mais leur solution consiste à ce que *les autres* arrêtent de leur donner du travail, souvent sans avoir eux-mêmes à l'exiger, ni même à le demander: «Il me semble qu'ils devraient voir que ça n'a pas de sens de me demander ça!» Par ailleurs, ils sont aussi frustrés de ce que les autres ne fassent pas ce qu'eux-mêmes exigent: «Je ne leur en demande pourtant pas beaucoup!» De plus, pour montrer qu'ils sont forts, ils ne pleurent jamais, et rares sont ceux qui s'adonnent à la boxe pour exprimer l'immense violence qu'ils ressentent! Et par-dessus tout, ils ont très peur de s'ouvrir aux émotions enfouies, dont ils se protègent en essayant de régler le problème par l'extérieur. Ils utilisent donc beaucoup d'énergie à inhiber l'expression de leurs émotions.

Finalement, leur ressourcement est presque nul, car ils croient fermement qu'ils n'ont «pas de temps à perdre!» De plus, ce qui était autrefois du ressourcement est devenu une corvée: par exemple, ils trouvent de plus en plus pénible de «devoir» jouer avec les enfants ou de «devoir» leur raconter une histoire au coucher. Quand on se donne trop de choses à faire, *tout devient en effet de trop*, même le plaisir.

Certaines formes de ressourcement, telles la relaxation et la méditation, l'exercice physique ou le jeu, leur apparaissent aussi comme de nouvelles corvées. Solution: s'en débarrasser! Et comme il est moins «nécessaire» de s'amuser que de tondre le gazon, ils ne se donnent pas le choix là non plus! Et tondre le gazon, quand *il faut* le faire, ce n'est jamais du ressourcement, alors que, perçu comme une activité de plein air, accomplie tout doucement, ça pourrait être agréable (ou à tout le moins «changer le mal de place»).

Leur fatigue vient donc à la fois de leur dépense d'énergie sans récupération, de l'inhibition de leurs émotions et d'une routine remplie d'obligations, sans temps pour le ressourcement. De plus, les solutions auxquelles ils se restreignent ne résolvent rien, et beaucoup d'entre elles augmentent même leur problème de tension intérieure. Il n'est donc pas surprenant qu'ils s'épuisent!

Le traitement du burnout les amènera à apprendre à choisir de se reposer et de se ressourcer ainsi qu'à reconnaître et à exprimer tout autant les émotions qu'ils ont enfouies au fond d'eux-mêmes que celles qu'ils vivent au jour le jour. Ils apprendront à voir des possibilités là où ils voyaient des obligations et ils comprendront qu'ils souffrent moins d'un «syndrome de fatigue chronique» que d'une «façon chronique d'accumuler de la fatigue». Alors, plutôt que de rechercher uniquement des solutions pharmaceutiques, ils pourront aussi commencer à reprendre leur vie en main. Ça fait toute la différence!

TROISIÈME partie

Le difficile rôle des **conjoints** de candidats au burnout:

Toi que j'aime, puis-je t'aider?

> ## Les conjoints des candidats au burnout peuvent-ils s'inspirer de ce qui a été dit jusqu'ici pour leur venir en aide?

Oui et non, car une «mauvaise» façon de présenter de bonnes solutions peut transformer ces dernières en un problème supplémentaire, et même *entretenir* le problème qu'elles devraient solutionner. Souvent, aussi, la relation conjugale d'une personne troublée ou obsédée depuis de longs mois par son travail s'est quelque peu détériorée, si bien que le candidat au burnout a du mal à accepter les conseils de son conjoint*, qu'il peut voir comme des récriminations, de l'incompréhension, ou encore un poids supplémentaire.

Dans cette partie, je veux aider les proches des personnes épuisées ou qui se dirigent vers l'épuisement. Ce livre étant destiné à venir en aide aux candidats au burnout qui en sont à l'étape du trouble, de l'obsession ou du burnout lui-même, leurs proches peuvent donc s'inspirer de l'une ou l'autre des solutions déjà proposées pour les épauler dans la difficile démarche de changement qui s'impose. Afin d'éviter que ce désir de venir en aide ne finisse par être nuisible, j'insisterai cependant ici sur *la manière de proposer les changements* par ailleurs nécessaires.

De plus, les proches (les conjoints en particulier) auraient avantage à adapter l'immense majorité des indications de changement proposées dans cet ouvrage *à leur propre situation.*

---

* Puisque les candidats au burnout peuvent être tout autant des candidates, le terme «conjoint» peut aussi désigner une conjointe...

› *En quoi les directions de changement présentées jusqu'ici s'appliquent-elles à la situation des proches de personnes obsédées par leur travail?*

Malgré les grands changements qui se sont produits dans *leur* vie du fait de la «maladie du travail» de leur partenaire de vie, les conjoints des candidats au burnout voudraient encore que leur vie familiale soit «comme avant»; ils rendent le «coupable» responsable de leur souffrance, ils prennent tout sur leur dos en attendant que ce coupable «comprenne» et qu'il change. *Ils adoptent donc eux aussi les trois attitudes néfastes des candidats au burnout* (voir page 104).

Cependant, contrairement au monde du travail qui va continuer d'évoluer pendant des années encore dans le sens de la démesure, les candidats au burnout vont finir par rompre les mauvaises habitudes qui les mènent — ou les ont menés — vers l'épuisement; la souffrance qui les habite pendant de longs mois, quand ce n'est pas pendant des années, les oblige en effet toujours à amener des changements dans leur vie, que ce soit à l'étape du trouble, à celle de l'obsession ou encore à celle du burnout. Mais je conseille fortement aux conjoints de candidats au burnout de ne pas attendre passivement ces transformations; je les invite aussi vivement à prendre *dès maintenant* conscience de leurs propres difficultés à composer avec la situation qu'ils vivent. Cela leur permettra de mieux comprendre et de mieux ressentir les grandes difficultés que leur conjoint éprouve à modifier ses attitudes et ses comportements, et aussi de l'aider. Car, à des échelles différentes, *ils ont le même problème.*

Le conjoint d'une personne troublée ou obsédée par le travail vit en effet lui aussi une *situation de crise*, et ses façons

«naturelles» de tenter de remédier à la situation entretiennent — sinon accentuent — cette crise: par exemple, le
réflexe de faire beaucoup de reproches au conjoint «qui travaille trop» amène souvent ce dernier à se réfugier *davantage* dans le travail pour fuir les reproches ou le rejet qu'il
ressent. Ou le désir bien naturel de lui donner un coup de
main quand il est particulièrement débordé *garde* le travail
au centre de la vie familiale. Je suis donc tout à fait conscient
que le type de soutien que je propose ici n'est pas *facile* à
mettre en place et je conviens d'emblée qu'il n'est pas simple de venir en aide à une personne obsédée par son travail
ou par toute autre chose.

Je m'adresse ici aux conjoints de personnes qui pensent
ne pas avoir le choix de s'épuiser au travail, et non aux conjoints de gens ayant délibérément choisi de faire du travail le
centre de leur vie et qui ne s'y épuisent pas outre mesure.
Un bon nombre des recommandations que je propose peuvent s'appliquer aux deux situations mais, dans le second cas,
la question de la séparation du couple peut aussi se poser.
Les choix de vie qui s'imposent quand on vit avec quelqu'un
qui ne souhaite absolument pas changer sont bien différents
de ceux qu'on peut faire quand on vit avec quelqu'un qui
s'en croit incapable pour l'instant, surtout quand on sait qu'il
va finir par changer, dût-il attendre d'être malade pour finalement s'y résoudre.

Je me baserai sur trois idées:

1. D'abord, ne pas accentuer le problème par notre façon
   de tenter de le résoudre.
2. Ensuite, bien se mettre en tête que le candidat au
   burnout qui s'approche de l'épuisement *sait déjà très
   bien* ce qu'il devrait faire!

3. Finalement, s'occuper de soi et donner ainsi l'exemple d'une personne plutôt heureuse et équilibrée, malgré qu'elle traverse une période difficile de sa vie.

Nous appliquerons ces idées de base de façon un peu différente selon que notre conjoint en est à la phase du trouble, à celle de l'obsession, ou à celle de l'épuisement lui-même. Il va de soi que je ne donne ici que des indications générales; chacun verra à les adapter à sa situation particulière (et même à carrément écarter celles qui risquent davantage de créer des problèmes que de prévenir ou de soulager la souffrance).

1. Étape du trouble

Si notre conjoint n'en est encore qu'à l'étape du trouble, on peut utiliser les indications données plus loin (voir *Étape de l'obsession*) d'une façon un peu moins draconienne que celle qui y est suggérée. Communiquons-lui que nous comprenons ce qu'il vit, mais faisons-lui aussi savoir *concrètement* que nous ne voulons pas du style de vie qui est en train de s'établir dans la famille, que nous ne voulons pas qu'il se détruise, et que nous n'accepterons pas de couler avec lui: *qu'il soit clair que nous ne laisserons pas notre vie et celle des enfants être à la merci de ses problèmes de travail.* Nous ne laisserons ni son patron ni son milieu de travail diriger notre vie. Nous allons l'aider non pas à donner du 150 %, mais à changer d'attitude face à son travail avant que son trouble ne vire en obsession. Le problème, ce n'est pas le travail: c'est la diminution de la qualité de notre vie, de plus en plus polluée par les préoccupations indues de notre conjoint au sujet de son travail.

2. Étape de l'obsession

Si notre conjoint est depuis longtemps obsédé par son travail, il s'agit d'éviter de tomber nous aussi dans les pièges dont on veut le délivrer. La relation qu'on entretient avec lui a sans doute déjà changé du fait de cette obsession. Cela signifie que *notre façon habituelle de nous comporter avec notre conjoint doit changer elle aussi.* «Comment continuer de lui manifester mon amour sans contribuer à sa perte?» reste la question à se poser et, évidemment, les réponses doivent tenir compte de notre propre désir inaltérable de conserver notre équilibre, lequel est maintenant sérieusement ébranlé par l'obsession de notre partenaire de vie: il ne rit plus, il est irritable, il est beaucoup moins présent, il est toujours fatigué, il n'a le goût de rien, il a constamment la tête ailleurs, il a toujours de très bonnes raisons pour justifier qu'il n'a d'autres choix que de se donner et nous faire vivre une vie insatisfaisante, etc.

Pour ne pas faire une obsession de son obsession

Voici quelques façons de l'aider:

1. Quand on est avec lui, **on profite de sa présence plutôt que de l'accabler de reproches.** Le travail ne doit pas *en plus* devenir un refuge...

2. **On clarifie et on communique notre position sur ses choix.** Par exemple: «Je ne suis pas d'accord avec les choix que tu fais présentement, je préférerais qu'on soit moins riches que de te voir toujours si fatigué, j'aimerais mieux que tu fasses ta part dans la maison et avec les enfants plutôt que tu ne te consacres qu'à ton travail.»

3. **On se montre prêt à renoncer à un certain confort.** Par exemple: «Je préfère nettement te voir heureux et en santé que de disposer de tout l'argent que tu gagnes. Voyons ce que tu pourrais faire, voyons si ton poste serait vraiment menacé si tu travaillais moins, revoyons ma propre contribution financière et la quantité d'argent dont nous avons vraiment besoin, compte tenu de la souffrance qui semble nécessaire pour maintenir notre niveau actuel de revenus.»

4. **On cesse de culpabiliser ou de «punir» le «méchant»,** on évite les accusations telles que: «Tu n'es jamais à la maison!», «C'est de ta faute si on est malheureux!», etc. Ici, il est très important de comprendre que le candidat au burnout est obsédé et que, comme toute obsession, la sienne est *augmentée* par la culpabilité qu'il ressent à être incapable de résoudre le problème qui l'obsède. Il sait *très bien* que ses proches souffrent de ses difficultés, mais il voit moins ces dernières comme résultant d'une obsession personnelle que comme une situation extérieure objective qui ne lui laisse pas le choix. Or, la culpabilité n'aide jamais à changer: cela mène plutôt à prendre de bonnes résolutions et... à ne pas les tenir, à se sentir coupable, et voilà, ça recommence!

5. **On cesse de tenir à ce que tout soit fait «comme avant» à la maison,** alors qu'il nous manque un joueur; relâchons la pression, cela donne l'exemple. Aidons-le à comprendre qu'il pourrait lui aussi accepter que tout ne soit pas «comme avant» à la maison si ça l'obsède, ça aussi.

6. **On refuse d'accomplir ses tâches domestiques à sa place,** on refuse de «comprendre» qu'il n'en a pas le temps, car cela *l'encouragerait* à ne pas avoir le temps, cela raffermirait son attitude malsaine. «Même s'il t'apparaît impossible de faire autrement, je considère pour ma part que c'est quand même ton choix de travailler autant; je veux bien comprendre que c'est important pour toi, mais je travaille également et je fais ma part à la maison. Alors, je veux aussi me garder du temps pour vivre autre chose. Si j'accepte d'accomplir ta tâche à la maison, je n'aurai plus de temps à moi et j'accumulerai de la rancune à ton égard. *Je veux* avoir du temps libre, et *je ne veux pas* entretenir de rancune envers toi. Alors je n'accomplirai pas tes tâches. Je ne considère pas que je te vole ton temps libre en ne faisant pas ceci ou cela à ta place; je crois plutôt qu'il t'est difficile de prendre du temps pour toi. De plus, si j'acceptais de faire les choses à ta place, je suis presque certain que tu utiliserais le temps que je te libère pour travailler davantage. Ce n'est certainement pas ce que je veux.»

7. **On exprime nos émotions plutôt que de dire à notre conjoint ce qu'il devrait faire.** Au lieu de: «Si tu étais un bon père (une bonne mère), tu ferais ceci», on dit: «On avait convenu que tu ferais ceci, et je suis déçu, en colère, triste, désemparé», selon le cas. Puis, une fois qu'on a exprimé ce qu'on ressent: «Comme il est clair que tu n'assumeras pas cette tâche malgré tes promesses (ou que tu ne participeras pas à telle activité de loisir), alors je tiens à ce qu'on révise notre «contrat», car je n'assumerai pas les tâches que tu avais accepté de prendre en charge et je n'attendrai plus que tu sois libre pour me livrer à telle ou telle activité. Organisons-nous autrement, de façon à ce que je sois le moins possible déçu, en colère, etc.»

8. **On prend soin de nous**; il vaut souvent mieux donner l'exemple en prenant du temps pour soi que d'essayer de convaincre notre conjoint de mieux prendre soin de lui alors qu'on a soi-même les yeux cernés... «Je te propose que nous engagions quelqu'un pour accomplir cette tâche-ci ou celle-là, qu'on attende pour celle-ci, que celles-là ne soient pas aussi bien faites qu'avant, qu'on laisse tomber ce projet ou cet autre, etc. On peut aussi faire *ensemble* certaines tâches qu'on accomplissait auparavant chacun de notre côté.»

9. **On refuse d'aider notre conjoint dans son travail**, même s'il est dans le pétrin. Ce point constitue un grand défi, car ce qu'il propose semble aller à l'encontre de toutes les valeurs humaines et de tout ce qu'il est «normal» de faire quand on aime quelqu'un. Cependant, il est utile de comprendre que, si on peut tolérer qu'un de nos proches s'intoxique, il demeure quand même absurde de l'aider à continuer à se détruire et qu'il est très malsain de lui acheter sa drogue lorsqu'il est sans le sou. Dans le cas de l'intoxiqué du travail, on peut dire: «Nous en avons parlé souvent et tu sais que je ne veux pas collaborer à ta descente aux enfers. Je comprends que tout le travail qu'on te donne et que tu acceptes t'accapare, mais je crois aussi que c'est très malsain. Je t'aime assez pour accepter que tu sois en colère contre moi parce que je refuse de t'aider; je suis par ailleurs tout à fait disposé à t'aider à retrouver ta joie de vivre, car c'est vraiment ce que je souhaite.»

Ou bien, on négocie: «On va jouer au badminton dimanche matin, et je te donne un coup de main dimanche après-midi.» Dans ce cas, on commence *toujours* par l'activité de ressourcement, *jamais* par le travail. Autrement, il passerait une fois de plus la journée à travailler et il n'aurait pas la chance de voir qu'il existe encore autre chose dans la vie; de notre côté, on serait encore une fois frustré.

10. **On l'invite à revenir à lui-même quand il se plaint, on l'aide à dire «je»:** «De quoi as-tu peur? Tu es triste de ce qui est arrivé à ton collègue? As-tu honte d'avoir été blâmé? Tu leur en veux d'exiger autant? Tu es déçu qu'on ait refusé ton idée? Tu es en colère contre untel?, etc.» On montre qu'on comprend ses difficultés et sa frustration; mais il reste toujours clair que, pour nous, la solution consiste non pas à persévérer dans l'obsession et la souffrance, mais bien à s'en éloigner, à prendre du recul, à établir de nouvelles priorités, plus saines.

11. **On suscite le partage d'émotions.** On évite cependant de tomber dans la complaisance et de laisser notre conjoint se servir de ses émotions pour justifier son esclavage: «Je veux tellement que mes élèves réussissent malgré la stupidité du directeur et du ministère!» On peut répondre: «Je comprends ta difficulté, car j'ai moi aussi besoin de bien faire. Par contre, te rends-tu compte que c'est ton directeur et le ministère qui sont en train de gérer notre vie? Est-ce qu'on ne pourrait pas se dégager un peu de leur influence?»

12. **On l'écoute attentivement parler de ce qu'il vit, mais on évite de le laisser *continuellement* orienter la conversation vers ce qui va mal au travail.** «Je comprends que tu sois envahi par toutes les difficultés que tu vis au travail, et je peux t'écouter parler de la détresse que tu ressens; par contre, je mets des limites à mon temps d'écoute parce que, pour moi, la vie est aussi autre chose que le travail, et je crois que ça pourrait faire du bien à tout le monde, y compris à toi, que tu t'intéresses davantage à ces autres choses. Tu sais, la vie continue, et je trouve que c'est important que tu le saches. Je ne te le dis pas pour t'offenser ou te culpabiliser: je crois simplement que ça nous ferait du bien à tous de parler d'autre chose que de ton patron, même si je sais que tu souffres de son agressivité ou de ses bêtises.»

13. **À l'occasion, on accepte de discuter de son travail et de proposer des pistes de solution.** Mais on les présente comme des possibilités plutôt que comme des évidences. Non pas: «C'est simple: fais donc ça!», mais plutôt: «Qu'est-ce qui t'empêcherait de faire ceci, ou cela?, Qu'est-ce qui t'oblige à faire ceci ou cela?» Attention ici: «à l'occasion» signifie «à l'occasion», et non pas «continuellement» (voir numéro 12).

14. **On cesse de faire dépendre notre amour de son comportement,** comme il fait lui-même dépendre son estime de soi de sa performance: «Si tu penses que je vais te faire plaisir alors que tu n'as même pas fait ceci ou cela, tu te trompes!» Il vaut mieux dire: «Je t'aime comme tu es, tu me manques, j'aimerais beaucoup qu'on puisse davantage profiter de ta présence, j'aimerais que tu sois moins compulsif en ce qui concerne tout ce que tu crois devoir faire aussi à la maison (si c'est le cas). Je fais de mon mieux pour te faire plaisir, sauf en ce qui concerne ton obsession, etc.». On l'exprime sous la forme d'un témoignage d'amour et non comme une manipulation ou une façon déguisée de le culpabiliser. On profite des occasions qui nous sont données de manifester cet amour (dans les moments d'intimité, par exemple); on fait cependant attention de ne pas être déçu en planifiant des moments particuliers (une sortie de couple) qu'il risque de décommander sous prétexte «qu'il a malheureusement trop de travail» ou «trop de choses à faire à la maison». Si on planifie une activité ou une sortie avec lui, *on fait ce qu'on avait prévu* même s'il ne vient pas.

15. On note ses progrès. Plutôt que de dire: «C'est bien le moins que tu n'ailles pas travailler le jour de l'anniversaire de notre ami Pierre!», on l'encourage en exprimant notre satisfaction: «Je suis content que tu aies accepté de te libérer pour l'anniversaire de Pierre. Je sais à quel point tu as encore du mal à laisser le travail. Merci de l'avoir fait.»

16. On n'attend plus qu'il change pour prendre notre propre vie en main. «Ça me faciliterait la tâche si tu acceptais de changer, mais je ne te ferai plus porter la responsabilité de mes difficultés. Je vais m'organiser pour me faire la vie la plus belle possible, et je serai heureux de t'y garder la place que tu voudras bien y prendre. J'aimerais qu'elle soit grande, mais je ne peux pas décider pour toi de tes choix de vie.» On continue donc de vivre notre vie et on l'invite à en partager les moments agréables, sans le forcer à le faire, mais sans renoncer nous-même aux bons moments de la vie sous prétexte de son absence: «Je vais faire du ski de fond samedi avec les enfants. Pierre et Sylvie emmènent aussi les leurs. On va aller souper au resto et finir la soirée chez eux. Viens-tu? J'aimerais beaucoup que tu viennes.» En mettant au programme des activités agréables, on montre que c'est possible, et ces activités peuvent être attrayantes pour le candidat au burnout. S'il préfère travailler, il se sentira moins coupable d'empêcher sa famille d'avoir du plaisir. Par ailleurs, à force de voir les autres profiter de la vie, il risque de se demander pourquoi il ne le fait pas. Cela peut beaucoup l'aider à reconsidérer ses choix de vie.

17. **On refuse de le laisser nous culpabiliser de nos propres choix.** S'il nous accuse de profiter de l'argent qu'il gagne en se tuant au travail, on remettra les pendules à l'heure: «Tu es toujours grandement invité à venir avec nous. Je préférerais que tu passes beaucoup moins de temps au travail ou à effectuer des tâches domestiques et qu'on ait ensemble davantage d'activités. Je suis prêt à ce qu'on dispose de moins d'argent. C'est ton choix de travailler démesurément, même si je suis conscient qu'il ne t'est pas facile de changer. Je serais très heureux que tu révises ce choix, tu le sais très bien, et je suis tout à fait prêt à assumer les conséquences financières de cette révision, dans la mesure où le nouveau choix que tu fais m'apparaît sain. En attendant de pouvoir profiter davantage de ta présence, je continue de profiter de la vie de mon mieux.»

18. **On présente la vie familiale comme quelque chose d'attrayant, plutôt que comme une nouvelle exigence.** «J'ai beaucoup apprécié que tu aies été là dimanche dernier; j'ai bien vu que tu avais aimé ta journée toi aussi, et j'en suis bien content. J'avais prévu d'aller voir tel film avec les enfants samedi prochain, dans l'après-midi; j'apprécierais que tu voies ce que tu peux faire pour te libérer.»

19. **On évite la fusion avec la souffrance de l'autre.** La vision romantique de l'amour veut qu'on se supporte l'un l'autre pour traverser toutes les grandes épreuves. C'est beau, mais ici, l'épreuve que le candidat au burnout et son conjoint doivent traverser concerne non pas la souffrance que le premier vit au travail, mais bien l'influence néfaste qu'elle a sur la vie de couple et la vie familiale. Et, dans cette épreuve, on est plutôt seul, *car le candidat au burnout ne col-*

labore que très peu. Fusionner avec lui, c'est contribuer à l'amener vers le burnout. Choisissons plutôt de l'aimer, malgré son éloignement, et gardons suffisamment de distance pour pouvoir faire les choix qui vont nous permettre de vivre le plus pleinement possible durant cette période de crise.

20. En résumé, *ne faisons pas une obsession de son obsession.* Vivons notre vie sans nous laisser envahir par cette obsession, servons-nous de cette période de crise pour augmenter notre propre capacité à vivre heureux en nous adaptant avec créativité plutôt que de nous acharner à maintenir à tout prix la vie dans un cadre fixe.

3. Étape du burnout

L'étape du burnout — celle où l'obsédé du travail devient incapable de vaquer à ses occupations — est constituée de deux sous-étapes: une première où l'épuisé veut retourner au travail au plus vite, et une seconde où il entreprend une démarche de changement, qui va faire de lui surtout un inverti ou surtout un converti. Dans la première, il maintient ces mêmes attitudes qui l'ont mené au burnout alors que, dans la seconde, il veut plutôt les changer. Le passage entre les deux sous-étapes se fait quand il accepte profondément la convalescence qui lui est nécessaire pour retrouver son équilibre biologique et psychologique.

La convalescence sera elle-même marquée d'une période de relatif désespoir, d'immense fatigue, d'émotions envahissantes et de souffrance physique. Elle s'effectuera très lentement, avec quelques rechutes dans l'anxiété et les sentiments dépressifs.

1. On n'accepte pas de prendre la responsabilité de sa **souffrance.** Surtout au début du congé de maladie, le ressentiment et la colère sont très grands. L'épuisé ne sera pas toujours juste et honnête dans l'expression de ces sentiments. Il se sent seul, il cherche les «responsables» de sa souffrance et... le conjoint risque fort de se voir désigné plus souvent qu'à son tour comme un des «méchants». Il convient ici de comprendre que la souffrance que l'épuisé ressent peut le rendre injuste, tout en gardant l'habitude de remettre clairement les choses en place: «Je comprends que tu souffres et que tu en veux à tout le monde. Je comprends que notre relation de couple n'a pas été parfaite et qu'on peut l'améliorer. Cependant, j'ai aussi eu ma part de souffrance dans ce qui t'est arrivé, et je ne suis pas responsable de tout. Si on essayait de s'aider plutôt que de s'accuser l'un l'autre d'avoir été incorrects? Il y a sans doute des choses à revoir dans notre relation de couple, j'ai moi aussi du ressentiment envers toi, mais tu ne me feras pas endosser la responsabilité de ta souffrance. Tu sais très bien qu'il y a d'autres personnes impliquées, dont toi, et il me semble plus important de bien faire nos nouveaux choix de vie que de jouer à déterminer les coupables.»

2. Un peu comme dans la phase d'obsession, **on partage davantage les émotions que les «bons conseils»**; on prend du temps pour écouter sa souffrance, on l'encourage à faire les meilleurs choix possibles pour occuper son quotidien étant donné les circonstances, et on continue de s'occuper de soi.

3. On l'invite à ne pas gaspiller le peu d'énergie dont il **dispose à accomplir les tâches ménagères,** mais sans lui imposer de s'en abstenir: «C'est normal que tu sois si fatigué, car tu as encore fait ceci ou cela malgré ton état. Je sais que ce n'est pas beaucoup, mais c'est écrit dans tous les livres qu'un rien suffit à vider un épuisé du peu d'énergie qu'il réussit à reprendre. C'est aussi écrit partout que les gens comme toi ont un mal fou à choisir de se reposer et je comprends bien que ce n'est pas facile de passer la journée sans s'occuper. Alors, fais pour le mieux, mais j'aimerais bien que tu apprennes à prendre davantage soin de toi.»

4. On évite d'exprimer continuellement notre propre ressentiment de façon culpabilisante («Je t'avais bien dit que tu serais malade!»), et on va plutôt vers ce qui serait souhaitable maintenant («Prends le temps de refaire tes forces, ne décide rien avant quelque temps en ce qui concerne ton travail»).

5. On considère vraiment son congé de maladie comme la confirmation d'un besoin de convalescence [21], un peu comme s'il était à l'hôpital: on ne lui en demande pas trop, on le materne un peu, mais sans renoncer démesurément à notre propre choix d'avoir du temps libre. Ici, le juste dosage n'est pas toujours facile à établir.

6. On l'encourage à comprendre ce qui lui est arrivé: le burnout étant «à la mode», on trouve de plus en plus de livres, d'émissions de télévision et d'articles de magazines ou de journaux sur le sujet. On l'invite à consulter en psychologie.

---

21 Cette recommandation ainsi que celles qui suivent ne s'appliquent que si le conjoint répond aux critères qui servent à déterminer le «diagnostic» de burnout: avoir été obsédé par le travail et avoir accumulé des symptômes importants pendant de longs mois sans arriver à décrocher du travail, puis avoir été «brisé» par le travail et ressentir une très grande souffrance physique et/ou psychologique.

7. Vers le quatrième ou le cinquième mois de la convalescence, **on participe activement à redéfinir la vie de couple et la vie familiale**: quelle est la vie qu'on veut vraiment, qu'est-ce que cela implique sur les plans du travail, de l'argent, du temps, des tâches, des loisirs, etc.? Comment, concrètement, allons-nous mieux faire vivre cet amour qui nous lie?

8. Après son retour au travail, **on évalue régulièrement avec notre conjoint sa nouvelle «compétence» à gérer sa vie de travail en conformité avec nos nouveaux choix de vie communs.** A-t-il vraiment changé, ou n'a-t-il pris que de nouvelles bonnes résolutions qu'il recommence à ne pas pouvoir tenir? Sans faire d'esclandre au moindre surinvestissement de temps ou d'énergie au travail, on rediscute sérieusement des mauvais penchants qui semblent revenir, et ce, dès qu'ils se manifestent. Encore ici, il vaut mieux parler de soi que de l'autre: «Je constate qu'on a du mal à respecter les choix de vie qu'on avait faits dans l'espoir de vivre heureux, et je voudrais qu'on évite de retomber dans la souffrance qu'on a vécue. Concrètement, je souhaiterais que tu fasses davantage ceci, que tu évites de faire cela, etc. Comment réagis-tu à ce que je te dis?»

QUATRIÈME partie

Une solution à long terme pour tous: l'équilibre personnel

Je présente ici quelques idées de base
d'un ouvrage antérieur
consacré à l'équilibre personnel.

(Voir Lafleur, Jacques et Béliveau, Robert:
Les quatre clés de l'équilibre personnel —
Quand il faut soigner sa vie
Éd. LOGIQUES, Montréal, 1994.)

Malgré que le monde du travail procède constamment à des compressions, des restructurations, des fusions, etc., il reste tout à fait possible d'éviter le burnout. Il est évident que tous ces changements provoquent un certain déséquilibre ou un certain inconfort à court terme dans la vie de la majorité des gens. Mais on peut apprendre à se réajuster, de façon à ce que ce déséquilibre ne perdure pas.

Il s'agit d'arriver à voir un peu plus clair dans ce qui se passe. On comprendra d'abord qu'on n'amènera pas notre employeur à notre conception du travail et, ensuite, qu'on ne pourra pas non plus se soumettre à ses demandes sans y perdre la santé. De là, il nous reste à déterminer les choix qu'on veut faire.

1. Comment mieux prendre conscience de l'augmentation de nos symptômes de stress et nous occuper activement à les réduire, et ce, bien avant que notre souffrance ne soit démesurée?

2. Comment mieux établir l'ensemble de nos priorités, les respecter et les faire respecter?

3. Comment mieux utiliser la tension engendrée par le stress plutôt que de l'accumuler en nous jusqu'à ce qu'on éclate ou qu'on s'éteigne?

4. Comment cultiver de nouvelles attitudes plus saines pour faire face aux changements extérieurs auxquels on est confronté?

En développant ces quatre habiletés, on augmente de beaucoup nos possibilités d'arriver à conserver notre équilibre même quand la turbulence qui nous secoue est grande.

> **Comment peut-on définir l'équilibre personnel et arriver à le conserver dans le monde du travail actuel?**

«La règle d'or est la suivante: jamais plus de huit heures de travail par jour, jamais plus de cinq jours de travail par semaine. Et puis, dès qu'on quitte le milieu de travail, on n'y pense plus.» Voilà le genre de réponse toute faite qu'on lit un peu partout: un équilibre personnel... déterminé par d'autres! L'équilibre est en fait un état d'énergie optimal, qui nous permet d'utiliser nos ressources pour réaliser des projets vivifiants qui nous tiennent à cœur, sans fatigue excessive ou durable.

Le maintien de l'équilibre personnel suppose une bonne connaissance de soi, de bonnes habitudes de repos et de ressourcement, des habiletés à résoudre les inévitables problèmes de la vie bien avant qu'ils ne nous envahissent, une bonne flexibilité, une estime de soi qui ne se trouve pas sans cesse menacée par la moindre erreur et qui permet de négocier une quantité de tâches raisonnable ainsi que des conditions de travail stimulantes (plutôt que d'accepter les conditions écrasantes qui deviennent de plus en plus la norme), une bonne capacité de créer et d'entretenir des relations significatives avec les autres, ainsi qu'une conception du bonheur s'appuyant davantage sur la liberté d'être ce qu'on est que sur le prestige ou la consommation de biens et de services.

Comprenons que, un peu comme le cycliste maintient son équilibre grâce à son bassin plutôt que grâce à sa tête, on peut difficilement garder notre équilibre à travers les bouleversements que la vie amène si on n'a pas de «centre en soi», si on ne prend pas nos décisions à partir de «quelque chose» de profond en nous, si on ne sait pas trop qui on est et qu'on ignore en conséquence ce qu'on veut vraiment. La démarche de l'épuisé — particulièrement celle de l'inverti — le ramènera à ce centre; elle le fera passer de sa tête où il «pense» qu'il doit tout faire, à son centre où il *sent* ce qu'il veut faire de sa vie et ce qu'il peut choisir de faire pour y arriver.

Facile à dire, plus difficile à faire, du moins à court terme, surtout parce que l'épuisé est très loin de ce «centre» depuis longtemps. Il se demandera non pas: «Qu'est-ce que *je veux* vraiment?», mais plutôt «Qu'est-ce que *je dois* faire pour m'en sortir?» et il cherchera encore des recettes ou des solutions à l'extérieur de lui-même. Ou bien, il se demandera: «Qu'est-ce que *je devrais* vouloir?» et, encore une fois, il voudra se conformer à un devoir défini par les autres plutôt que de se «brancher» sur lui-même pour définir ses choix de vie. Il s'efforcera encore d'être «correct» ou «normal», plutôt qu'heureux d'être lui-même et de se développer à partir de là où il est rendu.

> ### En pratique, que peut-on faire pour retrouver et pour mieux garder notre équilibre?

On retrouve et on garde notre équilibre physique et mental en agissant à quatre niveaux: celui de nos symptômes, celui de nos occasions de stress, celui de notre façon de répondre à ce qui nous stresse et celui de nos attitudes.

1. Le niveau de nos symptômes

Ici, on s'occupe activement et directement de nos symptômes de stress plutôt que de les laisser s'accumuler. On y arrive en se reposant et en se ressourçant, en faisant de l'exercice, en s'alimentant bien, en relaxant ou en méditant, en prenant une médication appropriée ou en suivant des traitements de médecine alternative, bref, en faisant ce qui est recommandé pour garder la santé ou pour la retrouver.

2. Le niveau de nos occasions de stress

À ce niveau, on considère *l'ensemble* de nos sources de tension et on établit nos priorités de façon à ne pas dépasser nos limites, sinon très exceptionnellement, et ce, uniquement pour une très courte période. On élimine des choses néfastes et on en ajoute d'autres, plus fondamentales ou plus amusantes. Idéalement, on se fixe comme priorité numéro 1 d'être bien dans sa peau, et non plus de se consacrer à des moyens particuliers (comme de réussir à tout faire au travail et à la maison) qui, *théoriquement*, devraient nous permettre d'être bien, mais qui, *en pratique*, nous font souffrir et nous détruisent.

Attention au mot «priorité»: dans notre façon actuelle de penser, il désigne souvent une tâche plus urgente qu'une autre, et ce n'est pas du tout ce dont il s'agit ici. Dans une conception plus saine de la vie, il désigne plutôt *ce qui donne du sens à notre vie*: consacrer du temps à notre famille, à notre vie spirituelle, à notre santé, à notre travail, etc.

Qu'est-ce qui est vraiment important pour nous maintenant? Qu'est-ce qui est vraiment important pour notre développement à moyen et long termes? Qu'est-ce qui est vraiment important dans la vie, et comment le traduire concrètement dans *notre* vie? Voilà des questions qui permettent de fixer ces nouvelles priorités et de s'affranchir des esclavages superficiels avec lesquels on encombre notre pensée et notre existence. Elles nous ramènent à notre centre, au sens même de notre vie. Les réponses ne viennent cependant pas aussi vite que celles qu'on trouve dans les livres...

3. Le niveau de nos façons de répondre

À ce niveau, on trouve de bonnes façons de résoudre les difficultés qui se présentent au fur et à mesure qu'on avance dans la vie. On cesse de refouler nos émotions et nos opinions, on apprend au contraire à mieux les exprimer, et on passe à l'action pour régler nos difficultés ainsi que pour se donner une vie plus saine (plutôt que de se contenter de se plaindre et de croire qu'on n'a pas le choix de vivre autrement). On devient plus «compétent» dans l'essentiel: nos relations avec nous-même et avec les autres (dont nos patrons et nos collègues), la créativité, la santé, la joie de vivre, le respect des valeurs profondes, ce qui n'exclut évidemment pas de travailler de façon responsable.

Cependant, cela change beaucoup le *sens* du mot «responsable», parce que cela ramène le travail dans l'ensemble de notre vie, plutôt que d'en faire l'essentiel: ainsi, on met le travail au service de notre vie, plutôt que de mettre notre vie au service de notre travail et de nos autres tâches. C'est *très* différent. On ne sacrifiera *plus jamais* notre vie à notre travail, on ne sabotera plus jamais notre vie, parce qu'on sait maintenant profondément en nous-même que ça n'a pas de sens. Nos choix s'appuient sur une nouvelle *attitude*.

4. Le niveau de nos attitudes

À ce niveau, on change une partie de notre façon de voir le travail, de voir la vie et de se voir soi-même, c'est-à-dire qu'on change les attitudes qui nous ont mené à l'épuisement. Par exemple, on se verra moins comme une victime d'un système tyrannique que comme une personne responsable qui peut faire ses choix en fonction de ce qu'elle ressent profondément comme étant le sens de sa vie, même si certains obstacles extérieurs à ce développement personnel ou spirituel semblent grands pour l'instant. En fait, ces obstacles ne paraissent grands *que parce qu'on ne sait pas encore comment les vaincre.*

Notre intérêt concret à nous développer, plutôt que l'esclavage à l'argent, au devoir extérieur, au prestige, à l'appréciation à tout prix de la part de tous, à une morale stricte, etc., nous permettra d'apprendre à mieux franchir tous ces obstacles.

Pour retrouver et garder l'équilibre, on peut donc apprendre à s'occuper activement de nos symptômes de stress, à mieux doser nos occasions de stress, à mieux répondre à ce qui engendre notre tension et, finalement, on peut changer — ou du moins assouplir — nos attitudes. Ce sont là les quatre «clés» de l'équilibre personnel.

➤ Ces cibles de changement se situent-elles toutes sur un même plan?

Non, elles appartiennent à des niveaux hiérarchiques différents. Ainsi, le niveau des attitudes (*niveau 4*) inclut les trois autres niveaux, celui de la réponse (*niveau 3*) inclut les deux premiers, et quand on dose mieux nos occasions de stress (*niveau 2*), on apprend nécessairement à mieux se soigner (*niveau 1*), puisqu'on y accorde maintenant priorité de façon concrète.

Voici un exemple. Si on décide de se reposer pendant un week-end pour mieux accomplir toutes nos tâches par la suite, on peut dire qu'on s'occupe un peu de nos symptômes (*niveau 1*); mais on ne dose pas vraiment mieux le travail dans notre vie à moyen terme (*niveau 2*), on ne répond toujours pas mieux à ce qui nous y stresse (*niveau 3*), et on ne change pas notre attitude d'esclave face au travail (*niveau 4*). Par contre, si on réalise profondément que ça n'a pas de sens pour nous de se tuer à la tâche (*niveau 4*), on commencera à se reposer et à se ressourcer beaucoup plus (*niveau 1*). On aura alors établi par le fait même de nouvelles priorités (*niveau 2*); on diminuera donc nos heures de travail et on repensera notre tâche à la maison (*niveau 2*), on consacrera le temps libéré à autre chose (*niveau 2*), on s'organisera pour mieux répondre à ce qui nous reste comme tâche (*niveau 3*), et on s'occupera de notre fatigue ainsi que de nos autres symptômes par le fait même (*niveau 1*).

> ### ❯ *Parmi ces cibles de changement, quelles sont celles qu'on doit privilégier dans le cas particulier des personnes en burnout?*

Tout dépend de la situation particulière de chacun. Rappelons-nous qu'il ne s'agit pas de traiter «le burnout», mais d'aider une *personne* qui s'est épuisée à trouver ses solutions. À partir de la connaissance que chaque personne a d'elle-même et de l'analyse qu'elle fait de sa situation, on peut l'inviter à déterminer les choses les plus importantes à faire, et dans quel ordre il serait utile de procéder aux changements.

Cette analyse tiendra compte de la nature et de l'étendue des symptômes, des sources de stress particulières auxquelles cette personne est confrontée ainsi que de sa façon d'y répondre (au travail et à la maison), de sa façon de voir la vie qui la confine à ces réponses, de ses choix de vie antérieurs (célibat, vie de couple ou vie familiale), de la qualité de son contact actuel avec elle-même, ainsi que de ce qu'elle est capable de faire, maintenant, pour s'aider.

Si on est rendu au burnout, c'est qu'on voit la vie comme une lutte (pour conserver notre emploi, pour gagner plus d'argent, pour arriver à être aimé, pour avoir du prestige, pour accomplir notre «devoir, etc.) et, en conséquence, on est habitué à «combattre». L'acceptation d'une convalescence comme première étape de traitement constitue donc déjà un changement d'attitude profond face à nos difficultés (*niveau 4*), ce qui a une influence bénéfique sur les trois autres clés de l'équilibre personnel. Plutôt que de continuer à mettre l'accent sur la diminution de notre rendement et à mettre les bouchées doubles pour pallier notre baisse de performance (façon de faire qui, malgré qu'elle ait été hautement inefficace, constituait notre unique réponse à nos difficultés de travail, *niveau 3*), on réalise au contraire qu'on a dépensé une énergie folle sans jamais récupérer (changement de façon de voir, *niveau 4*). Nous voilà donc épuisé, ce qui est non pas honteux, mais tout à fait normal étant donné les circonstances (changement d'attitude, *niveau 4*).

La convalescence s'accompagne de repos et de soins (*niveau 1*), de notre retrait temporaire du travail (*niveau 2*), d'une recherche de façons plus saines de vivre et de travailler (*niveau 3*), d'un intérêt pour la vie émotive, qui nous fait passer du refoulement de nos émotions et de notre souffrance à leur expression (*niveau 3*), ainsi que d'une révision en profondeur de notre façon de voir tous les secteurs de notre vie (*niveau 4*).

Et, moment magique, on s'aperçoit que la vie continue (*niveau 4*), ce qui nous fait réaliser que, même si on peut constituer un allié précieux pour notre employeur, nos collègues ou nos «clients», on n'est pas indispensable (*niveau 4*). De là, si on accepte de se donner le temps nécessaire, d'une part, pour guérir et, d'autre part, pour se retrouver et pour changer, tout devient possible, même si les nouvelles directions ne sont pas toujours très claires et si les émotions peuvent être vives et douloureuses durant cette période de transition entre ce que notre vie était et ce qu'elle va devenir.

> ### Si on est coincé de toute part, la tâche de retrouver notre équilibre (ou de le garder) n'est-elle pas énorme?

Ce que les gens en burnout ont du mal à comprendre, c'est que le retour à l'équilibre *n'est pas une tâche*! Ce n'est pas une autre «chose» «qu'il faut» faire en plus du reste! L'équilibre, *c'est un nouveau choix de vie*, à partir duquel on décide de tout le reste. Et c'est un choix de vie on ne peut plus «naturel», on ne peut plus sain.

> ### Quelles sont les attitudes qui aident le mieux à garder l'équilibre?

D'abord, il est important de prendre conscience qu'on ne change pas d'attitude comme on change de chemise. Nos vieux réflexes n'étant jamais bien loin, on peut même facilement renforcer une attitude alors qu'on s'efforce de la changer. Par exemple, quand on veut être plus patient, on n'y arrive habituellement pas du jour au lendemain. Alors, devant notre impatience qui se manifeste encore trop souvent à notre goût, on réagira par... de l'impatience: on sera encore pressé, cette fois d'être patient (!), et l'impatience qu'on veut éliminer grandira par le fait même. Il vaut mieux, dans ce cas, accepter de prendre son temps pour devenir peu à peu plus patient.

Toutes les attitudes ont cette propriété de s'appliquer à elles-mêmes et cela rend assez difficile d'en changer quand on veut absolument y arriver rapidement. Voici d'autres exemples: on finit par se sentir coupable de se sentir coupable alors qu'on croit justement qu'on devrait cesser de se sentir coupable; alors qu'on voudrait s'aimer davantage, on se déteste de ne pas y arriver; ou on se reproche de se faire continuellement des reproches, alors qu'on voudrait cesser de s'en faire. Si on n'y prend garde, on peut donc facilement consolider nos «mauvaises» attitudes alors qu'on essaie de les changer.

Cela dit, toutes les attitudes favorables au maintien de l'équilibre tournent autour de l'ouverture à soi-même, laquelle permet de mieux se connaître et d'augmenter l'estime de soi, de la responsabilisation personnelle face à ses choix de vie et au développement des diverses compétences que ces derniers impliquent, de l'établissement de relations saines avec les autres ainsi que d'une créativité et d'une flexibilité qui s'appuient sur une vision plutôt large qu'étroite de la vie.

S'aimant mieux, se connaissant mieux «tel-que-l'on-est-maintenant», prenant la responsabilité de faire les choix qui s'imposent pour notre développement à chaque étape de notre vie, cherchant à vivre en harmonie avec les autres, cultivant la flexibilité et la créativité qui permettent d'intégrer les changements intérieurs et extérieurs que la vie nous invite à faire, faisant mieux face à nos peurs, on gardera beaucoup plus facilement notre équilibre que si on ne renonce jamais à rien et qu'on continue de s'accrocher indûment à des façons de penser et de vivre qui nous rendent manifestement malheureux.

L'ouverture à la vie spirituelle et son développement concret dans la vie quotidienne sont aussi d'un grand secours pour beaucoup de gens. Ce retour de l'intérêt pour le sens, la vie intérieure, les valeurs ou le plus-grand-que-soi me laisse à penser que nous pourrons traverser la crise qui secoue notre société dans un esprit de développement personnel et social, les uns avec les autres.

Au-delà
de la crise

Qu'on le veuille ou non, le monde dans lequel on vit est entré dans une nouvelle période de transformation. La demande d'adaptation que cette nouvelle ère impose à chacun est *énorme*, car elle rend désuets un grand nombre des repères auxquels on avait appris à se fier pour vivre. On ne peut plus penser et vivre «comme avant». La sécurité d'emploi et la stabilité du revenu qui en découle, le temps et les ressources nécessaires pour bien accomplir notre travail, les marques d'appréciation de nos supérieurs pour notre rendement, la relative facilité à disposer de temps libre pour profiter de la vie, tout cela et bien d'autres «acquis» sont en train de s'effacer.

Comme la plupart des transitions sociales, celle que nous vivons présentement comporte une période chaotique: c'est cette phase difficile que nous traversons. Le bon côté, c'est qu'elle peut nous mener à une nouvelle façon de vivre, plus respectueuse de nous-même, des autres et de la planète. Mais cela reste à créer car, pour l'instant, on n'en voit que les germes, tels que le désir de mieux préserver l'environnement et les ressources de la Terre, l'ouverture à la vie psychologique et à la spiritualité, le désir de simplifier sa vie pour mieux en profiter ou encore la prise de conscience du très mauvais impact qu'a le stress sur la santé, par exemple.

L'«épidémie» de burnout et de dépression qui sévit depuis une quinzaine d'années nous révèle que la transition est difficile. Les premiers d'entre nous qui ont été touchés par les profondes et bouleversantes transformations sociales actuelles n'ont en effet pas réussi à s'y adapter: l'épuisement les a obligés à laisser leur poste de travail pendant de longs mois pour soigner leurs blessures et nombre d'entre eux ont fait un deuxième, et parfois même un troisième burnout. De plus, à voir le nombre des congés de maladie de longue durée et des prescriptions d'antidépresseurs continuer de monter en flèche, force nous est de constater que la leçon des premiers n'a pas servi et que nous ne sommes toujours pas prêts pour la prochaine étape de notre histoire.

Dans le même ordre de résistance au changement, la médecine voudrait nous enseigner que la dépression n'est rien d'autre qu'un désordre biochimique, c'est-à-dire une importante baisse du taux de certains neurotransmetteurs dans notre cerveau, qui se produirait presque par hasard. Quant à la «fatigue chronique», elle serait elle aussi un problème exclusivement biologique, dont on ignore l'origine pour l'instant.

Ne croyez pas ça!

Pour l'immense majorité d'entre nous, *la fatigue est la conséquence d'une façon de vivre fatigante et l'humeur dépressive est le résultat d'une façon de vivre déprimante*, c'est-à-dire d'une façon de vivre qui nous amène à courir du matin au soir sans retirer de véritable satisfaction et sans espoir de jamais voir le bout de cette course aussi folle que décevante. Peu à peu, de nombreux symptômes nous avertissent de ralentir et de changer, mais nos dépendances au devoir, à l'argent et à l'appréciation des autres font en sorte qu'il nous est très difficile de respecter ces signaux d'alarme. Alors, un jour ou l'autre, notre corps décide à notre place et la médecine constate ce qu'elle constate: «fatigue chronique», dépression ou autre chose. Mais il faut remettre les choses en place: pour la très grande majorité d'entre nous, la fatigue, la chute des neurotransmetteurs qui permettent de garder la bonne humeur et l'espoir, ainsi que bon nombre de malaises et de maladies sont des *conséquences directes* de notre épuisement, et non ses causes.

Il n'est certes pas interdit de prendre des toniques et des médicaments, mais réalisons aussi que notre fatigue, notre anxiété, nos sentiments dépressifs et la panoplie de nos malaises physiques nous invitent au changement. Ce dernier n'est cependant pas un choix facile à faire puisque, justement, on préfère s'épuiser plutôt que changer.

Mon espoir réside dans le fait que, malgré tout, il reste tout à fait possible de beaucoup mieux vivre les changements extérieurs auxquels nous sommes actuellement confrontés. Cela suppose qu'on s'engage dans une démarche de changement personnel et qu'on révise nos choix de vie. Plutôt que de nous rendre esclave du travail ou de nous engager à fond de train dans une révolte stérile, on acceptera mieux les défis qui se présentent à nous du fait des changements sociaux qui ont cours. Défi de mettre en place des stratégies plus appropriées pour gérer notre vie extérieure, ce qui est le propre de la démarche du converti, et défi de plonger en soi-même pour mieux ressentir qui on est et ce qui nous importe vraiment à ce moment-ci de notre vie, plongée essentielle qui revient régulièrement dans le parcours de l'inverti. Idéalement, on combinera la démarche de meilleur contact avec soi et celle des changements extérieurs: on deviendra un être centré, capable d'agir en accord avec ce qu'il ressent au plus profond de lui-même comme étant sa voie.

Non seulement est-il salutaire d'accepter que la vie a changé et qu'on ne peut plus continuer «comme avant», mais il est aussi possible de *choisir de contribuer* à la transformation sociale qui est en train de s'opérer. Non pas en endossant les nouvelles normes et le recul des valeurs humaines que ce changement social voudrait amener, mais en cherchant comment rester sain et intègre dans un monde qui nous incite à délaisser encore plus les choses fondamentales de la vie pour courir à longueur de journée, tout en restant chroniquement fatigué et insatisfait. Sur le plan personnel, ce retour à l'essentiel reste la meilleure façon de passer à travers la crise qui secoue le monde et qui se manifeste beaucoup dans l'univers du travail. Et, sur le plan social, on peut penser que plus nous serons nombreux à revenir à ce qui constitue l'essentiel d'une vie humaine, plus vite nous préparerons cette prochaine révolution sociale dont nous avons grandement besoin pour que les générations futures puissent vivre sur une planète salubre et généreuse. Notre planète est en effet elle aussi bien près du «burnout», et ce n'est pas en continuant tous «comme avant» à vivre à ses dépens sans la laisser refaire ses réserves qu'on la sauvera de l'épuisement...

Tout déséquilibre le moindrement important signale un besoin de changement. Autant dans nos vies personnelles que dans la société, l'épidémie de burnout à laquelle nous sommes confrontés constitue un appel à un changement profond, un appel dérangeant: c'est sans doute cet appel que ressentent beaucoup d'épuisés lorsqu'ils confient ce sentiment profond d'avoir renié leur âme pendant des mois ou des années, ainsi que leur intense désir de la retrouver, ou de se retrouver.

Il est rare que ces retrouvailles puissent se faire sans qu'on ait à laisser aller des choses. Toujours, même si la Vie peut nous laisser en paix pendant quelque temps, elle vient un jour ou l'autre défaire nos plans et nous inviter à aller plus loin. Cela fait partie de sa beauté. Et une bonne partie de *notre* beauté consiste alors à accepter pleinement son invitation à poursuivre notre développement malgré ce qu'il en coûte, à avoir le courage d'aller au-delà de nos peurs pour consentir à poser les gestes qui nous font grandir.

Les occasions
de stress au travail

Le stress, c'est la tension qui est engendrée en nous quand il nous semble que certaines situations ne sont pas conformes à nos attentes, ou bien qu'elles risquent de cesser de l'être; cette tension nous pousse à agir pour les «corriger» ou pour les maintenir «correctes». Lorsqu'on réussit, c'est-à-dire lorsqu'on est capable de répondre à la situation ou de laisser tomber nos attentes, la tension tombe et on se sent libre et en paix.

De ce point de vue, le stress au travail vient de notre incapacité à répondre avec sérénité à ce qu'on croit devoir y faire, soit pour être à la hauteur des demandes des autres, soit pour satisfaire nos propres exigences.

Voici une liste de ces occasions de stress. Je vous invite à cocher celles auxquelles vous êtes confronté, et surtout à chercher comment vous pourriez mieux répondre à chacune (ou à l'ensemble). Quelques indications pour mieux y répondre ont été données dans ce livre, particulièrement sous la rubrique «Indications de survie» de la première partie.

Il existe en fait cinq grandes directions pour mieux répondre:

1. On peut s'occuper de sa santé (se reposer, se ressourcer, limiter ses heures de travail) de façon à garder ou à récupérer énergie, motivation et pouvoir de concentration.

2. On peut augmenter ses compétences concernant la gestion de l'ensemble de la tâche (fixer des priorités, planifier, s'organiser, apprendre à dire non, à réajuster la qualité du travail à la quantité qu'on produit, déléguer, etc., et même démissionner).

3. On peut augmenter ses compétences en ce qui a trait à l'accomplissement de chaque tâche (se faire aider, se donner de meilleurs outils de travail, suivre des cours de perfectionnement, etc.).

4. On peut accepter de revoir certaines de nos attitudes et dépendances (nos peurs, notre perfectionnisme, notre culpabilité, notre confiance en nous, notre estime de nous-même, etc.).

5. On peut réviser notre façon d'être en relation avec les autres (employeur au sens large, patrons, subalternes, collègues, entreprises avec lesquelles on fait affaire, clients, etc.).

On reconnaîtra ici les changements qui mènent à mieux s'occuper de nos symptômes de stress, à mieux doser nos occasions de stress, à mieux répondre à nos occasions et à assouplir ou à changer nos attitudes, ce qui constitue les quatre clés de l'équilibre personnel (voir la quatrième partie de cet ouvrage).

La bonne question à se poser si on veut garder son équilibre est: «Que puis-je faire pour mieux composer avec cette difficulté (ou avec l'ensemble de ces difficultés) dans ma vie?

La plupart du temps, la réponse nous conduit à un changement.

Liste des occasions de stress au travail

○ La quantité de tâches imposée (ou celle qu'*on* accepte, c'est-à-dire celle qu'*on* s'impose);

○ Le nombre d'heures qu'on nous demande de passer au travail (ou le nombre d'heures qu'*on* passe au travail ou à y penser);

○ Le rythme effréné qu'on veut nous imposer (le rythme auquel *on* se plie);

○ Les horaires qui se concilient mal avec la vie personnelle (ou qu'*on* accepte de faire nôtres);

○ La pression qu'on subit (ou qu'*on* s'impose);

○ La pression qu'on croit devoir faire subir aux autres;

○ Les injustices et les trahisons;

○ La tension presque palpable qu'on ressent en milieu de travail;

○ Le caractère changeant des objectifs (dans lesquels *on* investit malgré tout beaucoup);

○ Le caractère changeant des directives (auxquelles *on* se plie);

○ Les directives contradictoires (qu'*on* essaie de suivre);

○ Les directives qui paraissent absurdes (auxquelles *on* ne réagit pas toujours de façon saine);

○ La multiplication des supérieurs qui ont leur mot à dire sur notre tâche (sans qu'*on* ne clarifie très précisément à qui *on* répond de quoi);

○ L'ambiguïté des attentes à notre endroit (qu'*on* ne clarifie pas très précisément);

○ L'ambiguïté qui entoure ce qu'il nous est permis de demander aux autres (ambiguïté qu'*on* entretient en ne clarifiant pas ce qu'on peut demander à qui);

○ L'ambiguïté générale, dans laquelle il ne faut cependant pas commettre d'erreurs de jugement (erreurs dont *on* se sent coupable);

○ Le peu de confiance qu'on nous fait (confiance dont *on* a besoin);

○ Les reproches et l'absence de félicitations (avec lesquels *on* se blesse);

○ Les jalousies (auxquelles *on* ne réagit pas toujours sainement);

○ Le fait qu'on entende parler «dans le dos» des personnes qui ne sont pas présentes (le fait qu'*on* parle dans le dos des absents, qu'*on* se soucie outre mesure de ce qu'on dit dans notre dos);

○ Les gestes absurdes qui ont été faits et avec lesquels il faut maintenant composer (et qu'*on* accepte de corriger comme si c'était notre travail de le faire);

○ Le fait que les soi-disant urgences se succèdent les unes aux autres, continuellement (le fait qu'*on* prenne en charge les crises des autres, ou qu'*on* pousse dans le dos des autres);

○ Le fait qu'on doive parfois accorder un temps précieux et une grande énergie à des balivernes qui se réglaient auparavant en un rien de temps (le fait qu'*on* accepte de le faire, ou qu'*on* le fait avec une sorte de désespoir);

○ Les pertes de temps (celui qu'*on* perd);

○ Le sentiment d'impuissance (*notre* besoin d'avoir le contrôle);

○ La bureaucratisation de tout et de rien (*notre* impatience, *notre* refus d'apprendre à composer avec la bureaucratisation);

○ Le remplacement continuel des outils de travail (*notre* sentiment de devoir tout faire vite);

○ Les conditions environnementales (bruit, lumière, espace, humidité, température, décor, etc.), souvent malsaines ou inadéquates (le fait que la mise en place de meilleures conditions ne soit pas *notre* plus grande priorité);

○ Les conflits avec les supérieurs, les subalternes ou les collègues de même niveau (*nos* conflits, *nos* attitudes qui engendrent ces conflits, *nos* besoins auxquels *on* attend que les autres répondent);

○ La perte de certains «privilèges» qui rendaient le travail plus agréable ou plus facile à accomplir, tels qu'un espace privé, un lieu de travail unique, un stationnement gratuit, des services de secrétariat réservés pour nous ou pour notre service (*nos* deuils non résolus à cet effet);

○ Le fait que, grâce au télétravail, on peut maintenant travailler *aussi* chez soi (*notre* besoin d'arriver à tout faire);

○ L'absence de soutien affectif et de reconnaissance de la part de l'employeur, des supérieurs, des subalternes, des collègues de même niveau, ainsi que des gens auxquels on vend des produits ou on rend des services (*notre* besoin d'être apprécié);

○ L'absence de soutien en ce qui concerne les outils de travail ou l'aide qu'on croit nécessaire (*notre* incapacité à tenir compte de cette absence de soutien dans la quantité et la qualité du travail qu'*on* se croit obligé de livrer);

○ La difficulté de composer avec des clients de plus en plus exigeants, ou avec des citoyens, des étudiants ou des patients de plus en plus irrespectueux ou agressifs (*notre* difficulté);

○ La raréfaction des emplois et la peur de perdre le nôtre (*notre* peur);

○ Le sentiment d'être un pion (*notre* besoin d'être reconnu par notre employeur);

○ La perte de la motivation à s'occuper de toute tâche à moyen terme, puisqu'elle peut nous être enlevée à tout moment (*notre* tendance à vouloir des résultats et des félicitations, *notre* difficulté à vivre ici et maintenant);

○ Le sentiment d'incompétence lié à l'incapacité de remplir la tâche (le lien qu'*on* a établi entre le sentiment de compétence et le fait de remplir ou non la tâche);

○ Le sentiment d'accablement à ne pas pouvoir travailler aussi bien qu'avant (*notre* difficulté à laisser aller le passé pour pouvoir mieux vivre le présent);

○ Les attentes liées aux ratés du système ou au manque de planification, qui font que tout n'arrive pas toujours comme on en aurait besoin (*notre* besoin d'obtenir des résultats malgré les incongruités du système);

○ Les déménagements de services (*notre* difficulté à vivre avec les déménagements);

○ Le fait que les décisions qui nous touchent soient prises sans qu'on ne soit consulté (*notre* façon de réagir à ces décisions);

○ L'insécurité liée aux possibles fusions ou réorganisations (*notre* insécurité, *nos* peurs, *nos* dépendances);

○ Le peu de temps qu'on a pour s'adapter quand il y a fusion ou réorganisation (*notre* propre difficulté à accepter que le travail attende un peu, le temps qu'on s'adapte);

○ Le plafonnement des salaires ou les baisses de salaire (*notre* désir de conserver le même train de vie ou de recevoir des marques de reconnaissance);

○ La perte d'avantages sociaux (*notre* réaction à ces pertes);

○ Le besoin de se tenir au courant des «progrès», qui se traduit par de nombreuses journées de formation... pendant lesquelles le travail s'accumule (et *notre* incapacité de laisser le travail accumulé attendre un peu quand *on* revient);

○ L'obligation à laquelle l'employeur nous soumet de parfaire notre formation ou de terminer notre scolarité de tel ou tel niveau, souvent en dehors de nos heures de travail, en suivant des cours dont on croit en plus qu'ils ne nous seront d'aucune utilité (*notre* réaction à ces «obligations»);

○ Le sentiment d'être de plus en plus surveillé comme un enfant (*notre* révolte, *notre* impuissance, *notre* rapport avec l'autorité);

○ La mauvaise utilisation de nos ressources personnelles: nos compétences sont sous-utilisées ou encore on travaille sur des dossiers pour lesquels on ne possède pas une formation suffisante (*notre* réaction devant ce gaspillage);

○ La responsabilité qu'on nous confie d'arriver à des résultats sur lesquels on n'a pas vraiment de pouvoir (et le fait qu'*on* accepte de prendre la responsabilité de ce sur quoi on n'a pas de pouvoir);

○ La peur liée à ce que la moindre erreur de notre part — ou de celle des autres — puisse avoir de graves conséquences (*notre* peur des reproches, le fait qu'*on* accepte un poste de responsabilité dans des circonstances où notre pouvoir est minime);

○ Le fait que nos bonnes idées soient rejetées ou ignorées (le fait qu'*on* croie que nos idées sont meilleures, le fait qu'*on* ait besoin d'approbation ou d'admiration);

○ La peur des évaluations annuelles, compte tenu de notre incapacité à remplir notre tâche et des fréquents conflits qu'on a eus durant l'année avec nos supérieurs, lesquels sont par ailleurs aussi nos évaluateurs;

○ La quasi-impossibilité d'obtenir une forme ou une autre d'avancement (*notre* désir d'avancement);

○ Le harcèlement sexuel (*notre* peur de dénoncer cette forme d'abus);

○ La souffrance des collègues qu'on voit dépérir (*notre* difficulté à composer sainement avec cette souffrance);

○ Le fait qu'on n'entende plus que des plaintes et des plaintes, à la cafétéria et ailleurs (*nos* plaintes, *notre* incapacité de faire changer les sujets de conversation vers des choses plus agréables);

○ Les difficultés à la maison qui découlent de *notre* engagement démesuré au travail et de *notre* préoccupation constante pour *nos* dossiers (et parfois de *nos* sempiternelles plaintes sur tout ce qui va soi-disant mal).

Mais ce n'est pas tout, car la quantité de stress qu'on ressent est faite de la somme du stress au travail et du stress lié à la vie personnelle, comme celui qu'engendrent, par exemple, les problèmes familiaux, conjugaux, financiers, sociaux, scolaires, les changements, les problèmes de temps, les problèmes de santé, etc. La plupart du temps, on aura donc aussi avantage à changer des choses à la maison si on désire maintenir un niveau de stress fécond, celui qui nous garde de bonne humeur et en santé.

Il va donc de soi que les changements que nous vivons depuis une quinzaine d'années sont énormes, et que nous ne pouvons pas continuer à penser et à vivre de la même façon qu'avant. Ce n'est pas particulièrement facile de changer, mais c'est devenu nécessaire.

Annexe 2

Les symptômes
de stress

Les symptômes de stress sont les signes par lesquels on reconnaît l'ampleur de notre tension. Les gens qui savent garder un bon équilibre personnel en ressentent rarement plus d'une quinzaine. Si vous en avez beaucoup plus, il est important d'y voir. Consulter aussi les listes des pages 39 et 40 (questionnaire sur lequel s'ouvre la première partie) ainsi que les symptômes précurseurs de l'épuisement (p. 80) et les symptômes de la dépression (p. 95).

Dans la liste qui suit, cochez les symptômes que vous ressentez régulièrement depuis quelques mois, afin de bien prendre conscience de votre niveau de stress.

Symptômes physiques

Symptômes de tension musculaire
○ tensions dans le visage (○ mâchoires ○ front)
○ raideurs dans la nuque ou le cou ○ poings serrés
○ pression sur les épaules ○ point entre les omoplates
○ maux de tête ○ maux de dos ○ tremblements
○ besoin de bouger constamment ○ difficulté à se détendre
○ tendance à sursauter

Autres symptômes physiques
○ fatigue ○ yeux cernés ○ bouffées de chaleur (ou frissons)
○ palpitations cardiaques ○ mains ou pieds froids ou moites
○ transpiration abondante et nauséabonde ○ étourdissements
○ souffle court ○ problèmes digestifs

○ boule dans l'estomac ou dans la gorge   ○ insomnie
○ changements dans l'appétit   ○ brûlures d'estomac   ○ diarrhée
○ constipation   ○ nausées   ○ hypertension artérielle
○ autres problèmes physiques: _____.

Symptômes psychologiques

Symptômes émotionnels
○ inquiétude   ○ panique   ○ impatience
○ sentiment d'avoir les nerfs à fleur de peau   ○ frustration
○ changements d'humeur   ○ colères démesurées
○ mauvaise humeur   ○ tristesse   ○ sentiments dépressifs

Symptômes perceptuels
○ perte du sens de l'humour
○ perte de la capacité d'avoir du plaisir
○ perte de confiance en soi   ○ dépréciation de soi
○ sentiment d'être continuellement pressé ou débordé
○ préoccupations   ○ dramatisation   ○ attitude négative
○ tout voir comme une montagne   ○ être sur la défensive

Symptômes motivationnels
○ esclavage face aux tâches   ○ perte d'intérêt
○ perte du goût de faire les choses   ○ perte d'enthousiasme
○ perte du désir d'apprendre ou de s'investir
○ découragement   ○ difficulté de se mettre à la tâche
○ tendance à remettre à plus tard
○ «ne pas savoir ce qu'on veut»
○ se contenter de faire ce qui est exigé

Symptômes comportementaux
○ comportements brusques   ○ gestes malhabiles
○ course continuelle   ○ tics nerveux   ○ sauts de repas
○ préoccupation constante de l'heure
○ davantage d'investissement pour moins de résultats
○ fuite   ○ alcool   ○ drogue   ○ médicaments

Symptômes intellectuels
○ difficultés de concentration   ○ problèmes de mémoire
○ augmentation du temps passé en divertissements futiles
○ tourbillon d'idées   ○ idées confuses ou fixes
○ rumination des mêmes idées   ○ faible production intellectuelle
○ voir tout comme étant compliqué   ○ se sentir la tête vide

Symptômes relationnels
○ peur de rencontrer de nouvelles personnes
○ intolérance   ○ ressentiment   ○ agressivité
○ difficulté à être aimable ou à écouter   ○ fuite de l'intimité
○ changement dans la sexualité   ○ isolement
○ être «dans la lune».

Symptômes existentiels
○ sentiment d'inutilité   ○ impression de bris intérieur
○ vide intérieur   ○ sentiment d'être au bout du rouleau
○ impression de ne plus se reconnaître
○ sentiment que la vie n'a pas de sens   ○ désespoir
○ absence de valeurs auxquelles se raccrocher
○ changement dans la vie spirituelle   ○ idées suicidaires

Toutes les
questions!

Cette annexe a pour but d'aider le lecteur à retrouver facilement les questions qui l'auront le plus intéressé, ainsi que les indications de changement qui accompagnent chacune de ces questions.

Chapitre 4
Caractéristiques psychologiques des candidats au burnout

Chapitre 5
Cinq types de candidats au burnout

Chapitre 6
Attitudes et comportements
qui augmentent les risques de burnout

DEUXIÈME PARTIE
Pour sortir grandi d'un burnout douloureux

Chapitre 1
La consultation professionnelle

Chapitre 2
Convertis et invertis: changement de stratégies ou transformation intérieure?

Chapitre 3
Les étapes du traitement du burnout:
le retour à la vie «normale»

Chapitre 4
La fatigue: Comment rester vigilant

TROISIÈME PARTIE
Le difficile rôle des conjoints de candidats au burnout:
Toi que j'aime, puis-je t'aider?

QUATRIÈME PARTIE
Une solution à long terme pour tous:
l'équilibre personnel

Remerciements

Nous devons une fière chandelle:

à Suzanne Bélanger, qui a eu l'idée de cet ouvrage et s'est montrée encourageante et disponible à chacune des étapes de sa réalisation;

à Bianca Côté, qui a participé à ce projet en supervisant joyeusement la métamorphose du manuscrit (chaque semaine de plus en plus final...) en un beau livre;

à Chantal Tellier, Cassandre Fournier et Corinne de Vailly, qui ont bien voulu assurer la difficile révision du texte, le français utilisé se situant à mi-chemin entre la langue écrite et la langue parlée;

à Philippe Langlois, pour le tour de force qu'il a réalisé en concevant le graphisme et en faisant la mise en pages;

aux médecins et au personnel de la Clinique médicale Chaumont, ainsi qu'aux professionnels de la santé de la Clinique de réduction du stress d'Anjou, avec lesquels nous travaillons de près et avec grand plaisir depuis des années;

et surtout à toutes ces personnes qui, depuis une vingtaine d'années, ont accepté de nous faire confiance. Que, par cet ouvrage, leur souffrance, leur courage et finalement leur guérison puissent être utiles à tous ces autres qui leur ressemblent, et leur montrer qu'il est possible de s'arrêter avant de perdre toutes ses forces ou, s'il est trop tard, d'avoir le courage de s'en sortir et de retrouver sa joie de vivre.

Un immense merci à toutes et tous.

Imprimé au Canada